KB193875

루소와 좋은 삶

Rousseau on Good Life

루소와 좋은 삶

김경근

전북대학교출판문화원

• 머리말

왜 루소인가?

나는 지난 몇 해 동안 루소의 작품들을 읽으면서 그가 들려주는 삶의 이야기에 빠져들었다. 사실 그 기간은 개인적으로 힘든 시기였는데 루소의 작품들을 읽으며 위로와 용기를 얻었던 것 같다.

18세기 제네바 공화국에서 태어나 주로 프랑스에서 활동한 작가이자 사상가인 장 자크 루소(1712-1778)의 인생론의 특징이라면, 무엇보다 자기 삶의 여러 체험에 입각했다는 점이다. 신분사회였던 18세기에 루소처럼 평민 출신으로 어릴 적부터 여러 곳을 전전하며 생계를 위해 온갖 일을 했던 사례는 드물지 않다. 하지만 그런 사람이 루소처럼 유명 작가나 사상가가 된 경우는 드물다. 이처럼 직접 체험을 바탕으로 한 것이니 만큼 루소가 말한 삶은 서재에서 머리로 생각한 다른 작가들의 그것과 달랐다.

그런데 루소가 체험한 삶은 '좋은 삶'의 사례가 될 만큼 만족스럽고 행복한 것이 아니었다. 적어도 겉으로 보기에 그의 삶은 늘 초라하고 불안정하며 고통스러운 것이었다. 그는 죽을 때까지 단 한 번도 안정적인 가정을 꾸리기는커녕 집을 가져본 적도 없었고 어느 한 곳에 지속적으로 정착하지 못했으며 사는 내내 지병에 시달렸다. 한 마디로 그가 유명 작가가 아니라면 누구도 거들떠보지 않았을 불안정하고 고단한 삶을 산 사람이었다. 이처럼 별로 닮고 싶지 않은 삶을 산 사람이 삶에 대해 이야기 한다면...?

하지만 나는 오히려 그 점 때문에 루소에게 관심이 간다. 그가 풍요롭게 살았다거나 사회적 성공을 이루어 높은 위치에 오르게 된 일종의 성공담을 듣고 싶은 게 아니기 때문이다. 이렇게 말하면 '루소는 성공한 작가이자 철학자, 말하자면 출세한 사람 아닌가?'라고 반문할 수 있다. 물론 루소는 작가로서 큰 성공을 거두었을 뿐 아니라 오페라 작곡가로 이름을 떨치기도 했다. 그의 작품들 중 『신엘로이즈』는 18세기 프랑스에서 손꼽는 베스트셀러 소설이었으며 그의 오페라 작품은 프랑스 왕궁과 파리 오페라 극장 무대에 오르기도 했다.

그러나 성공과 명성이 그의 삶을 바꿔놓지는 못했다. 무엇보다 루소 자신이 그 성공을 활용하거나 그로부터 이익을 얻는 걸 거부했기 때문이다. 그는 자신의 오페라 작품에 매료되어 연금을 하사하려 한 프랑스 국왕 루이 15세를 알현할 기회를 스스로 포기함으로서 경제적 혜택은 물론 명사가 될 기회를 걷어찼다. 그 점에서 루소와 라이벌이었던 볼테르가 부와 영향력을 쌓아 귀족 못지 않은 화려한 생활을 영위했음을 감안하면 루소는 그 대척점에 위치했다고 보면 된다. 사실 그는 스스로 말했다시피 '외국인인 데다 친척도 지지자도 없으며 홀로 모든 사람에게 버림받고 대다수 사람들에게 배신당한' 처지였다. 뿐만 아니라 그는 작품을 통해 당대의 유력계층을 신랄하게 비판함으로써 정치적 지배층(왕실과 귀족), 종교적 지배층(고위 성직자), 문화적 지배층(철학자) 그리고 사회적 지배층(의사)으로부터 20여 년 동안 심한 박해를 받고 거주지를 옮겨 다니는 일종의 난민생활을 전전하였다.

이처럼 루소는 자기 재능에도 불구하고, 혹은 스스로 말했다시피 자기 재능 때문에 불행해진 사람의 표본이었다. 그런데 불우한 사람이 자기 삶을 토대로 펼치는 인생론에 한 가지 미덕이 있다면 그건 최소한 독자에게 위화감을 주지 않는다는 점이다. 루소가 추구한 '좋은 삶'은 성공에 바탕을 둔 것이 아니기 때문에 보통 사람들, 즉 현실에서 초라하고 심지어 불운한 삶을 사는 사람이라도 엄두를 내볼 수 있는 것이다. 마치 TV 프로그램 중 '자연인'의 삶을 다룬 것들이 일반인들도 맘만 먹으면 실행할 수 있을 것 같아 관심을 끄는 것과 같은 이치이다.

루소 스스로도 자기의 사상을 '행복한 사람들을 위한 철학'이 아니라 '불행을 위로해주고 미덕을 격려해주는 철학'이라고 하였다. 그렇다면 루소는 자신과 비슷한, 즉 본래 가진 것이 없거나 혹은 많은 것을 잃은 사람들과 무엇을 공유할 수 있는가? 미리 말하자면 그것은 인간이면 누구나 가지는 자산, 즉 '자기 자신의 타고난 감정이나 성향으로부터 즐거움과 행복을 끌어내는 법'을 공유하는 것이다. '자연인'이 행복을 누리는데 자연에 대한 순응 외에 다른 것이 필요치 않듯이 루소 또한 자기 본래의 성품, 즉 본성을 깨우치고 그 요구를 실현하는 것만으로 자유와 행복을 누릴 수 있다고 보았다.

물론 그렇다고 해서 누구나 마음만 먹으면 '자연인'이 될 수 있다거나 루소처럼 자유를 누릴 수 있다는 말은 아니다. 사실 나는 이 책을 쓰면서 여러 번 회의가 들었는데 그건 나 스스로 루소의 메시지에 부합하는 삶을 살고 있지 못하다는 마음 때문이었다. 그럼에도 변명삼아 말한다면 루소의 메시지는 나를 포함하여 아직 좋은 삶을 살지 못하더라도 그것을 추구하면서 길을 찾고자 하는 사람들을 위한 것으로 볼 수 있다는 생각은 든다.

그러면 불행한 처지에서 루소가 꿈꾼 '좋은 삶'은 어떤 것이었을까?

좋은 삶이란?

어릴 적 동네에서 어른들이 종종 '아무개 네는 잘 살아'라는 말을 했던 기억이 난다. 그 때 '잘 산다'는 의미는 부자란 뜻인데, 돈이 많으면 의식주 걱정 없이 잘 살 수 있다는 점에서 틀린 말은 아니었다.

사실 잘 살거나 혹은 뭔가를 '잘 한다'는 건 모든 존재에게 필요한 자질이다. 칼은 잘 들어야 하고 말은 잘 달릴 때 가치를 인정받는 것처럼 사람도 '잘 살' 때, 즉 부자거나 출세했을 때 인정받을 수 있다.

그런데 문제는 '잘'이 전부가 아니라는 점이다. 어떤 말이 잘 달리지만 성질이 까다롭거나, 칼이 잘 들지만 보기 흉하고 무겁다면 좋은 말, 좋은 칼이라 할 수 없듯이 사람도 돈은 많은데 삶에 만족하지 못하고 불행하다면 좋은 삶이라고 하기 어려울 것이다.

물론 이건 조금 '뻔한 얘기 아닌가'라는 생각도 든다. 삶의 여러 면들을 충족하는 것이 좋다는 걸 모르는 사람이 누가 있겠는가? 그게 어렵다는 걸 알기 때문에 하나라도 잘 해보려고 미친 듯이 일하거나 아니면 아예 접고 산속으로 들어가는 것 아니겠는가?

그런데 생각해 보면 그런 딜레마는 피할 수 있을 것 같기도 하다. 앞서 언급한 칼과 말을 떠올려 보면 좋은 칼, 좋은 말이란 칼다운 칼 그리고 말다운 말을 의미한다. 같은 이치로 사람에게 좋은 삶이란 삶다운 삶 혹은 사람다운 삶을 뜻한다. 다만 문제는 '사람답다'고 할 때는 좋은 칼, 좋은 말의 경우와 달리 기준을 정하기 어렵다는 점이다. 사람은 말이나 칼과 달리 특정 용도를 위한 수단이 아니기 때문이다.

그렇게 본다면 인간에게 '좋은 삶'이란 사람다운 삶이며 그 때 사람이란 남이 아닌 자기 자신이므로 가장 자기다운 삶이 좋은 삶에 해당한다 할 것이다. 실제로 사람은 자기다울 때, 즉 자기 본연의 품성과 일치하는 삶을 살 때 몸도 마음도 편하고 안정되는 법이므로 우선 나다워지는 것 혹은 자연스러워지는 것이 행복한 삶이자 좋은 삶으로 가는 길이다.

그런데 이 기준은 다소 평범하여 '그것을 구태여 삶의 목표로 삼아야 하나'라고 생각할 수 있다. 좋은 삶 혹은 진정으로 행복한 삶은 뭔가 특별한 것이지 그저 자기다워짐으로써 누구나 누릴 수 있는 그런 평범한 것일 리 없다는 생각에서일 것이다.

그러나 얼핏 평범해 보이는 이 삶의 기준은 쉽게 달성할 수 있는 것이 아니다. 많은 사람들이 삶에서 마음의 평화와 안정을 느끼지 못하는 것만 보아도 알 수 있다. 명상가들이나 심리학자들은 입을 모아 역사상 오늘날처럼 사람들이 신경증에 시달린 적은 없었다고 말한다.

사실 자극과 정보들이 넘쳐나는 현대인의 생활환경에서 나다워진다는 건 쉬운 일이 아니다. 어쩌면 나다워지는 건 고사하고 '나'가 누군지 아는 것조차 쉽지 않다. 내가 흔히 나 자신이라고 생각하는 나의 자아가 진정 나인지, 즉 나의 참 자아인지 의심스러울 때가 많기 때문이다.

우리는 흔히 내 뜻, 내 의지라는 말을 하지만 실상은 나 스스로도 이것을 원하는 내가 나인지, 아니면 그 반대를 소망하는 내가 나인지 헷갈릴 때가 많다. 돈이 많아 펑펑 쓰는 사람을 보면 그 사람의 소비를 부러워하면서도 또한 가난하지만 검소한 전원생활을 즐기는 사람을 보면 그 사람의 소박한 삶에 끌리는 나의 진심은 과연 무엇인가? 이런 상태에서 어떤 의지나 소망이 생길 때 선뜻 그것이 진짜 내 뜻이라고 장담할 수 있을까? 또는 한 여자를 만나 사랑하다고 말하면서 지나가는 다른 여자에게 눈길을 주고 계속 생각한다면 나는 내 마음이 무엇인지 말할 수 없는 건 고사하고 과연 나에게 자아라는 게 있기는 한 건지 의심하지 않을 수 없다. 루소에 따르면 이처럼 사람들이 일반적으로 생각하는 자아, 즉 시시각각으로 변하는 자아는 진정한 내가 아니다. 이런 자아는 사회 속에서 각종 자극에 휘둘리는 사회적 자아일 뿐 내면의 중심에 위치한 자아, 즉 참 자아는 그와 별개라는 것이다.

어디 마음만 그런가? 몸도 다르지 않다. 내 몸은 진정 내 뜻대로 움직이는 나의 것인가? 의학이 발달하면서 현대인은 자기 몸을 점점 더 병원과 의사에게 의존하는데 그 양상은 갈수록 강박적으로 되어 간다. 몸이 조금만 불편해도 병원을 찾아 검사하고 치료받고자 하며 자각 증상이 없어도 선제적으로 병의 징후를 발견하고자 빈번하게 건강검진을 받기도 한다. 심한 경우는 마치 몸속 어딘가에 꼭꼭 숨어 있는 병의 씨앗을 찾아내 잠에서 깨우고야 말겠다는 기세이다. 그 결과 생애의 상당 부분을 병원과 의사에 의존하면서 '사는 것 같지 않게 사는' 것이다. 이에 대해 많은 의사를 만났으나 평생 지병에 시달렸던 루소는 확고하다. '병을 낫든지 죽든지

하라. 그러나 하루를 살아도 사는 것처럼 살라'라고 하면서 되도록 병원과 의사에 의존하지 않기를 권했다. 물론 루소가 살았던 시대에 비해 오늘날의 의료 수준은 비교할 수 없을 만큼 발달하여 실제로 많은 사람들이 의술의 혜택을 받는다는 건 부정할 수 없다. 그러나 의술에 대한 의존도 그만큼 심해졌다. 따라서 루소의 다음 질문은 여전히 유효하다. '과연 남의 처분에 맡겨두고 누리는 신체와 건강이 진정 나의 신체, 나의 건강이라고 할 수 있을까?'

이처럼 내가 생각하는 내 몸과 마음이 사실은 진정한 나의 것이 아닐 수도 있다면 나는 나답기 위해 어떻게 해야 하는가? 루소가 제시하는 답은 진정한 자아, 즉 내 본래의 존재 혹은 본래의 품성을 회복하는 것이다. 말하자면 평상시에 잊고 살지만 각자의 내면에 자리하는 본성을 되찾아 그 요구에 따르는 것이 좋은 삶이라는 것이다.

이는 루소가 살았던 시대보다 오늘날에 더 필요한 말일지 모른다. 사회가 복잡하고 세분화되면서 사람들은 그저 돈만 잘 벌면 될 뿐 나머지 모든 것은 다른 사람들이 다 해줄 것이고 그렇게 맡기는 것이 오히려 더 스마트한 삶이라고 생각한다. 건강을 의사에게 맡기는 것처럼 아이 교육은 학원에, 여행은 여행사에, 여가시간은 TV에, 음식은 맛집에 맡기면 된다는 식이다. 이렇게 모든 것을 의존하다보면 나는 내가 타고난 능력의 극히 일부분만 발휘하는 수십 분의 일 쪽짜리 인간이 되어버린다. 그리고 어떤 일을 할 때에도 내 존재 전체로 전념하는 습관을 망각한 채 늘 어정쩡하고 미진한 상태로 살게 될 것이다. 그것이 행복일까? 타인에 대한 의존과 모방을 삼가고 독립적으로 또 존재 전체로 살라는 것이 루소의 메시지이다.

루소는 자신의 삶과 작품에서 좋은 삶의 과정을 제시하는데 그 단계들을 간추려 보면 크게 세 가지, 즉 자유, 존재 그리고 사랑이 그것이다. 이 셋은 루소의 좋은 삶의 구성 단계로서 이 책에서 탐구할 주제이다. 말하자면 자유, 존재, 사랑은 어떤 점에서 좋은 삶에 필요한 과정이며 또 어떻게 달성하는지를 살펴보는 것이 이 책의 전반부의 내용인 것이다.

그런데 루소는 또한 삶을 구성하는 여러 분야들, 말하자면 부, 일, 건강, 가정, 교육, 종교 등을 어떻게 꾸려 나가야 하는지에 대해 말하고 있다. 따라서 이 책의 후반부에서는 루소의 취지에 따라 우리 삶의 세부 분야들을 어떻게 영위할 것인지 살펴볼 것이다.

지금까지 국내는 물론 해외에서도 루소의 인생론을 다룬 책은 출판된 적이 드물다. 루소 스스로 삶이란 주제를 별도로 다룬 적도 없거니와 그의 작품들은 여러 대상들을 제각각 다루고 있기 때문이다. 따라서 내가 이 책에서 간추린 삶의 여러 측면들은 루소의 작품들에서 관련 내용들을 조금씩 끌어 모아 내 나름대로 재구성한 것들이다. 그런 까닭에 논의가 다소 산만하거나 중복되는 부분도 있을 것이다.

끝으로 한 가지 덧붙인다면, 이처럼 삶에 관한 루소의 메시지가 산발적이고 비체계적이기 때문에 나는 그의 인생론을 보완하여 좀 더 체계화하고 싶은 마음이 들었다. 그래서 다른 사상가들 특히 사회심리학자 에리히 프롬(1900-1980)과 명상가 오쇼 라즈니쉬(1931-1990)의 책들을 다수 참조하였는데, 그들이 제시한 사회와 인간에 대한 가르침들은 루소의 사상을 보완할 뿐 아니라 특히 현대인의 관점에서 보도록 하는데 많은 도움을 주었다. 이 책의 취지는 루소의 사상을 학술적으로 탐구하는 것이 아니라 루소를 실마리로 우리에게 유용한 인생론을 정립하는 것이기 때문에 꼭 루소의 작품들에만 머물 필요는 없다고 보았고 따라서 프롬과 오쇼도 폭넓게 인용하였다. 다만 그들을 인용한 경우 가능한 한 출처를 밝혔기 때문에 루소와 구별하는데 어려움은 없을 것이다.

• 이 책의 전반부 내용 중 일부는 기존에 발표한 본인의 학술논문에서 다룬 바 있음.(cf. 참고문헌)

• 목차

1장 자유

1 • 인간과 자유

루소와 자유

자유란 자기 의지대로 선택 및 행동할 수 있는 힘을 말한다. 그 힘이 없다면 인간은 사실상 삶이 불가능할 것이다. 왜냐하면 자유는 생명과 함께 삶을 구성하는 요소이기 때문이다. 오쇼는 말한다. "인간 존재는 태어날 때 백지 상태이지만 살면서(생명) 자신이 원하는 대로 그것을 채워나간다(자유)."[1] 인간 존재의 본질은 이와 같이 자기 의지대로 삶을 실현하는 것, 즉 자유에 있는 것이다. 따라서 루소는 자유를 '인간이 부여받은 능력 중 가장 고귀한 것'이라고 하였다.[2]

그런데 루소는 말년에 말하기를, 자신은 사회 속에서 자유를 누리기가 어려웠다고 하였다. "나는 모든 것이 제약과 책임과 의무가 되는 시민 사회에 결코 적합한 사람이 아니었다. 그리고 구속을 싫어하는 내 천성 때문에 나는 사람들과 어울려 살 때 요구되는 속박을 견딜 수 없었다."[3]

그런데 이 인용문을 조금 자세히 들여다볼 필요가 있다. 왜냐하면 여기서 루소가 말하는 '속박'은 우리가 일반적으로 말하는 것과 거리가 있기 때문이다. 루소는 여기서 법적·제도적 속박이 아니라 사회적 제약이나 속박을 말하고 있다. 다시 말해 그는 공적 자유보다는 사적 자유를 강조하고 있는데 바로 그 점에 루소의 자유론의 독창성이 있다. 루소와 동시대를 살았던 사람들은 주로 공적 자유, 즉 법적·제도적 속박으로부터 벗어나는 것에 관심을 쏟았고 그러한 자유에 대한 열망이 18세기 말 프랑스 대혁명으로 이어졌다는 건 익히 알려진 바이다.

그렇다면 루소가 말한 사적 자유가 공적 자유와 다른 점은 무엇인가? 그것은 사적 자유가 나의 의지에 따라 좌우되는 자유라는 점이다. 왜냐하면 사회나 인간관계로 인한 속박은 법적·제도적 속박과 달리 강제성이 없기 때문이다. 따라서 내가 사회적 속박에 예속된다면 그건 내가 그로부터 벗어나고자 하는 강한 의지가 없다는 뜻이며 나아가 나는 어쩌면 꼭 자유를 원하는 존재가 아니라는 뜻이기도 하다. 사실 사회적 속박, 이를테면 우리가 은연중에 따르는 관습, 상식, 전통, 체면 혹은 유행 등은 엄밀히 말해 인간이 자유를 두려워하여 자기 스스로에게 씌워 놓은 일종의 굴레라고 할 수 있다. 사람들에게는 남들을 따라하거나 그들에게 의존함으로써 안전한 길을 가고자 하는 성향이 있기 때문이다. 따라서 루소가 강조한 사적 자유는 한 마디로 나 자신으로부터의 자유, 즉 나의 의존성, 예속성 그리고 모방성으로부터의 자유인 것이다.

예를 들어보자. 루소는 『고백록』에서 귀족들과의 '불평등한 교제'에서 느꼈던 불편함을 털어놓았다.[4] 귀족이 자신을 시골 별장에 초대할 경우 그는 루소의 교통비를 아껴주려는 호의에서 마차를 보내곤 했는데 루소에겐 귀족의 마부에게 주어야 하는 팁이 삯마차를 부르는 것보다 훨씬 더 비쌌다. 뿐만 아니라 초대받은 집에서 머물 때 '교활한 하인들'의 은밀한 혹은 노골적인 푸대접을 받지 않거나 눈치를 보지 않으려면 수많은 하인들 모두에게 팁을 주어야 했는데 그것까지 감안하면 초대받는 것이 전혀 감사하거나 즐거운 일이 아니었다는 것이다. 그런데 루소가 느낀 불편함은 남이 강요한 것이 아니었다. 그가 그것을 겪고 싶지 않았다면 초대를 사절하거나 팁을 주지 않았으면 될 것이다. 그러나 그는 초대자에게 무례하게 비치지 않기 위해 초대를 받아들였고 하인들에게는 인색하게 여겨지지 않기 위해 그의 말마따나 '파산할 정도'로 팁을 주지 않을 수 없었다. 루소에게는 유력자들과의 교제 단절에 대한 두려움 혹은 유력자에 대한 의존심리 그리고 하인들에 대한 체면 등이 자신의 자유를 방해했는데 이러한 의존성이나 체면의식은 어떤 법이나 제도로 강제된 것이 아니라 루소 스스로 자기 마음속에 만들어낸 굴레인 것이다. 한마디로 젊은 시절의 루소는 자기 자신으로부터의 자유가 없었다.

이러한 사적 부자유, 즉 내키지 않은 초대를 받아들이고 더 내키지 않은 팁을 주어야 하는 것을 자유의 범주에 넣고 논하는 것에 대해 어쩌면 너무 까다롭지 않느냐고 반문할 수도 있겠다. 왜냐하면 루소가 초대를 받아들이고 팁을 내밀 때 그건 누가 강제한 것이 아니므로 부자유는 아니라는 것이다. 나아가 사회생활을 하는 사람들은 다들 관계를 고려하여 조금씩의 불편을 감수하는 것이 불가피한데 그런 것을 부자유라고 하면 이 세상에 누가 자유로울 수 있느냐고 말할 수도 있다.

그러나 내심 귀족신분을 증오하던 루소가 18세기 문인들 사이에서 유행처럼 번진 귀족들과의 교제를 자신도 어쩔 수 없이 혹은 별 생각 없이 따라한 것이라면, 그리고 자기 스스로 '교활하고 약삭빠른' 부류라고 경멸하던 하인들에게 본의 아니게 거액의 팁을 줄 수밖에 없었다면 의지와 자유의 측면에서 그 행동은 문제가 있다고 보아야 하지 않을까? 그리고 또 유행이나 타인의 영향을 받는 것이 어쩔 수 없는 것이라고 체념하기에 앞서 자기 주체적으로 결정할 수 있는 방도는 없었는지 탐색해보는 것이 의미가 있지 않을까? 뒤에서 보겠지만 실제로 루소는 중년 이후 '자기개혁'을 통해 이러한 의존이나 체면을 떨쳐버리고 내면의 자유를 찾을 수 있었던 것이다.

이처럼 사적 자유 혹은 내면의 자유란 나 자신으로부터의 자유이다. 나의 내면에 있는 예속적인 성향들, 즉 타인이나 유행에 대한 의존, 욕망에의 예속 그리고 무의식적 습관의 구속으로부터 벗어나는 것이다. 이 성향들은 나 스스로 혹은 무의식적으로 자유를 포기하는 것이다. 그럼에도 나는 늘 내가 자유롭다고 생각하는데, 이 때의 '나'는 루소에 따르면 진정한 내가 아니다. 이 '나'는 본래의 나가 사회 속에서 변질된 이기적인 자아, 즉 에고이다. 본래의 나 혹은 진정한 자아는 자유로울 때 평화와 만족을 느끼기 때문에 자유를 포기하거나 자유에 대해 착각하지 않는다.

우리는 내 안의 예속 혹은 자유의 장애물들 - 타인, 욕망, 무의식에 대한 예속 - 을 살펴보고(1장), 그 근본 원인이라고 할 수 있는 에고에 대해 다루고자 한다(2장). 그리고 에고를 극복할 수 있는 방안을 3장에서 살펴볼 것이다.

참고삼아 말하면 여기서 자유의 여러 이름들은 설명의 편의를 위해 내가 붙인 것이지 루소가 사용한 명칭은 아니다. 루소는 자유에 명칭이나 체계를 부여하지 않았으며 자기 작품들에서 자유와 예속에 관한 언급을 여기저기 했을 뿐이다. 그럼에도 내가 루소의 자유론에 주목하는 이유는 그것이 루소가 살았던 18세기보다 오히려 20세기 이후의 현대인에게 더 중요한 문제로 보이기 때문이다.

현대인과 자유

사실 현대인은 이미 많이 자유롭다. 예전에 비해 정치·제도적 속박으로부터 벗어나 법적 혹은 공적 자유를 거의 확보하였다. 따라서 사람들도 스스로를 자유롭다고 믿는 경향이 있다. 그러나 문제는 루소에게서 보았듯이 그것이 자유의 전부가 아니라는 점이다.

우리가 하는 행위들 중 앞에서 본 사적 자유 혹은 내면의 자유를 따르는 경우가 얼마나 될까? 그보다는 오히려 무의식적 습관으로 행하는 경우가 훨씬 더 많지 않을까? 예를 들어 사람들은 하루에도 수십 차례 틈만 나면 스마트 폰을 들여다보지만 왜 그런지 이유를 묻는다면 딱히 대답하기 어려울 것이다. 그저 무심결에 습관적으로 보기 때문이다. 이처럼 자기의지와 무관하게 습관적으로 하는 행동은 자유로운 것인가? 물론 이에 대해 '그건 습관이나 버릇일 뿐 자유의 문제는 아니다. 누가 시켜서 하는 게 아니니까'라고 할지 모른다. 그러나 누가 시키지 않더라도 무의식적으로 한다는 건 자기 의지가 무의식에 속박당한 것이다. 내가 그 필요성을 의식하고 구체적으로 무엇을 하겠다는 생각을 가진 채 핸드폰을 집어들지 않는다면 나는 내 의지와 자유에 따르고 있지 않은 것이다.

현대인의 자유 포기는 말이나 생각에서도 곧잘 드러난다. 현대인은 법으로 보장된 사고와 표현의 자유에도 불구하고 자기 생각을 말하는 대신 흔히 남들과 똑같이 생각하고 말한다. 사람들은 그것이 모두 자신의 생각 혹은 자기 욕구라고 말하겠지만 실상은 여론이나 유행 혹은 유명인의 영향으로 결정되는 경우가 많다. 사실 인류 역사를 통틀어 지금처럼 미디어가 사람의 정신을 세뇌시킨 적은 없었다.

이에 대해서도 '그건 그저 모방 성향일 뿐 자유를 포기한 건 아니다'라고 반박할 수 있다. 하지만 내가 타인을 따라하는 건 나의 결정 능력을 불신하여 결정을 포기하는 것인데 이 경우 나를 내 존재의 주인이라고 할 수 있을까? 주인이 아니면 노예나 머슴이란 말인데, 현대인을 거기에 비유하는 것이 지나치다고 하겠지만 오히려 현대인에게 이 문제는 더 심각하다. 왜냐하면 현대인은 자기가 자유를 포기했다는 걸 모르기 때문이다.

어쩌면 현대인에게 자유란 해방감보다 두려움의 대상일 가능성이 크다. 사람들이 가는 길 대신 나만의 길을 가면 그 결과에 대해서는 나 홀로 책임을 져야 하기 때문이다. 게다가 사회나 사람들은 미리부터 내 자유를 위축시킨다. 미디어가 보여주는 성공한 사람들과 비교하면 나의 존재는 거기에 못 미치는 경우가 많기 때문이다. 따라서 나는 나의 길을 추구할 엄두를 내지 못하거나 아예 생각조차 하지 않게 되는 것이다.

실제로 우리는 평등, 정확히는 불평등에 대해 민감하게 반응하는 것에 비하면 자유에 대해서는 그것이 박탈되어도 대수롭지 않게 여기거나 아예 깨닫지 못하는 경우도 많다. 예를 들어 명품 매장에 입장하려고 하는데 매장 측으로부터 줄서서 기다릴 것을 요구받는 경우, 사람들의 관심은 주로 입장이 공정하게 이루어지는지, 즉 누군가가 특혜를 받거나 새치기하지 않는지에 쏠리는 반면,

그 매장이 왜 사람들에게 줄을 세우면서 자유로운 출입을 제한하는지 그리고 무엇보다 줄을 서서 기다릴 만큼 내 쇼핑 욕구가 진심인지에 대해서는 따져보려 하지 않는다.

그건 아마도 전자, 즉 불평등은 나와 타인 간의 문제인 반면 후자, 즉 자유는 나 자신에 관한 사안이기 때문일 것이다. 아이러니하지만 우리는 타인에 대해 신경을 곤두세우는 만큼 자기 자신에 대해서는 그다지 민감하지 않다. 다시 말해 내 자유가 침해되더라도 다른 사람도 마찬가지라면 별로 문제 삼지 않는 것이다. 사실 사람은 자기 존재의 의미를 정립한 경우에 비로소 자유의 중요성을 인식한다. 자기 존엄성과 가치를 인식하는 사람에게 자유가 소중한 것이지 그렇지 않다면 자유는 그저 여러 가치 중 하나가 되어 남들에게 없다면 굳이 나에게 없어도 무방한 것이 되어버린다.

2 • 자유의 장애물

1) 타인

타인에 대한 의존

앞서 말했듯 현대인은 외부의 정치·제도적 속박이나 간섭으로부터 크게 자유로워졌다. 그러나 타인 혹은 대중에 대한 의존이나 예속은 옛날보다 더 심해졌다. 정치권력의 속박으로부터 벗어나 사회적 권력 밑으로 들어갔다고나 할까. 루소는 타인에 대한 의존을 크게 두 가지로 말하는데 하나는 타인의 시선이나 평판에 대한 의존이며 다른 하나는 타인의 의견에 대한 추종 혹은 모방이다.

타인의 시선이나 평판에 의존한다는 건 사람들이 자기 존재를 스스로 탐색하기보다 타인이란 거울에 비친 모습에서 찾는다는 뜻이다. 이를테면 나의 가치를 나 스스로 탐구하여 이해하기보다는 타인의 인정이나 평판이 결정해주는 것이다. 이러한 의존은 자본주의 사회에서 살아가는 현대인들의 경우에 더 심해졌다. 시장경제가 확산되면서 사람들은 자기 능력뿐 아니라 자기의 배경, 외모, 인맥, 성격까지도 포함한 아무개라는 상품을 시장에 내놓고 고용주나 소비자의 선택을 기다리게 되었다.[5] 이처럼 존재가 시장에서 상품화 될 때 자기 정체성은 의존적이고 불안정해질 수밖에 없다. 가령 돋보이고 싶거나 누군가 자기를 선택해주기를 바란다면 남에게 자기 존재를 어필해야 하기 때문에 그 사람은 긴장하고 남을 살피는 예속적이며 불확실한 삶을 살 수 밖에 없는 것이다.

게다가 설령 인정받는데 성공했다 할지라도 자기 존재에 대한 확신은 오래 가지 않는다. 한 번 선택되었다고 다가 아니기 때문이다. 시장의 선호란 늘 변하므로 자기 존재라는 상품에 대한 믿음은 그에 따라 흔들릴 수밖에 없다.

더 나쁜 것은 내가 좋은 평판을 얻기 위해 나의 소중한 가치, 즉 진정성을 희생시킨다는 점이다. 사람들이 나를 인정하기 시작하면 나는 내 모습을 연출하는 인간이 되어버린다. 예컨대 사람들에게 내가 온화하고 미소를 머금은 모습으로 인식되었다면 그 때부터 나는 표정 하나, 행동 하나도 남을 의식해 연출할 수밖에 없다. 한마디로 사람들의 시선이라는 감옥에 갇힌 거짓 인간이 되어버리는 것이다. 이는 자유는 물론 진정성을 잃는 것이고 결국 나 자신을 잃게 되는 것이다.

루소에 따르면 타인의 시선에 의존하는 사람은 사람들이 중요시하는 능력들을 실제로 갖추든지 아니면 적어도 갖고 있는 척이라도 할 필요가 있다.[6] 다시 말해 자기 성격을 변형시키든지 아니면 적어도 본래 모습으로 비치지 않도록 조심한다는 것인데 둘 다 자기 존재의 본질에 등을 돌리는 것이다.

그런데 타인에 대한 의존에 있어서는 약자는 물론 강자도 자유롭지 못하다. 왜냐하면 부자나 강자도 타인을 필요로 하기 때문이다. 빈자나 약자가 타인의 도움을 필요로 한다면 부자나 강자는 타인의 봉사가 필요하다. 부자가 하인들을 부리려고 해도 그들이 주인을 인정할 때 진정 주인 노릇을 할 수 있다. 그러기 위해서는 그들의 평판이나 시선에 신경을 쓰지 않을 수 없다. 루소는 "그들이 사고방식을 바꾸면 당신도 부득이 당신의 행동방식을 바꾸어야 할 것이다... 당신은 늘 '내가 원한다'라고 말할 것이다. 그리고는 언제나 다른 사람들이 원하는 일을 행할 것이다"라고 하였다.[7] 이처럼 자기가 정한 기준이 아니라 타인의 기준에 맞춘 선택이나 행동을 하는 경우 능력과 지위에 상관없이 자유가 속박되며 나 자신의 주인이 되지 못한다.

그럼에도 사람들은 자기 자신을 바꾸는 것 혹은 잃는 것에 별로 거부감이 없는데 그 이유는 거기에 익숙하기 때문이다. 우리는 어릴 적부터 집과 학교에서 부모와 교사로부터 소위 '훌륭한 사람'이 되라고 교육받아 왔다. 그 말은 지금 있는 그대로의 내가 아닌 다른 존재, 즉 어떤 이상적인 인물이 되기 위해 자신을 바꾸라는 당부였다.[8] 따라서 나 자신을 바꾸는 것이 어떤 상실이 아니라 오히려 성장과 성공을 위한 의무로 인식되어 온 것이다.

세론

루소는 사람들의 시선이나 평판에 의존하는 것에 대해, 그것이 덧없음을 일찍이 간파했다. "명성은 아직도 그것을 갖지 못한 사람들에게는 보상이 될지 몰라도, 저에게는 전혀 보상이 될 수 없었습니다. 만일 제가 잠시라도 그토록 하찮은 행복을 기대했다면, 얼마나 빨리 환멸을 느꼈을지!"[9] 루소는 여론이 얼마나 변덕스럽고 불합리한 것인지 꿰뚫어보았던 것이다. 그는 자기 자신은 늘 변함이 없음에도 불구하고 자기에 대한 대중들의 평가는 단 이틀도 똑같지 않았다고 하였다. "어떤 때는 제가 사악한 인간이었으며, 또 어떤 때는 빛의 천사이기도 했습니다. 행복과 불행이 거의 같은 샘에서 흘러 나왔습니다."[10]

세론, 즉 대중의 의견이 변덕스러울 뿐 아니라 합리적이지 못하다는 건 개개인이 어떤 식으로 자기 의견을 형성하는지를 보면 알 수 있다. 루소에 따르면 천성적으로 게으른 인간의 정신은 애써 수고하지 않고 다른 사람들처럼 생각하는 걸 좋아한다.[11] 따라서 그는 "저는 세론은 근거가 아니라 바로 그 세론에 의해서 확산된다는 것을, 그리하여 타인의 추론을 따르는 사람은 누구나 편견, 권위, 감정, 안이함 때문에 그런다는 것을 압니다"라고 하였다.[12] 요컨대 대중의 의견은 합리적 근거보다는 다수의 의견이라는 이유 때문에 확산되는 일종의 '정신적 전염병'이라는 것이다.[13]

루소에 따르면 일반 대중은 자기에게 좋은 것을 인정하는 것이 아니라 소위 사회지도층 인사들이 인정한 것을 인정한다.[14] 여론이란 각 개인의 자유로운 생각의 총합이 아니라 여론선도자들의 의견일 뿐이라는 것이다. 그런데 여론 선도자들의 취향은 대개 자신들의 이익이나 허영심에 의거한다. "부자들은 자신들의 부를 과시하기 위해 쉽사리 손에 넣기 어려운 값비싼 것을 좋아한다. 그들이 갈망하는 이른바 아름다움이란 자연을 모방하기는커녕 자연에 거역하는 덕분에 아름다움이 된다. 이런 식으로 사치와 나쁜 취향은 불가분의 관계를 맺게 된다."[15] '사치와 나쁜 취향은 불가분'이라는 대목에서 나는 예전부터 가졌던 궁금증 하나가 풀리는 것 같다. 간혹 패션쇼에 등장하는 옷들을 보면 한결같이 비실용적인 것들이어서 '누가 입는다고 저런 옷을 만드는 걸까?'라는 의문을 가졌는데 이에 대해 루소가 답한 것이다. 그건 바로 부자들로서 그들은 비싼 건 기본이고 비실용적인 것을 선호한다는 것이다. 그래야만 일반인들이 아예 엄두를 내지 못할 것이고 부자들은 확실한 차별성을 누릴 것이다. 옷은 본디 기능적이며 멋지고 편안해야 한다는 점에서 부자들의 비싸고 비실용적인 옷은 옷다운 옷, 즉 좋은 옷이 아니며 그 취향 역시 좋은 취향이 아닌 것이다. 사치와 나쁜 취향이 불가분이란 말은 그런 의미가 아닐까 싶다.

게다가 여론은 형성될 때뿐 아니라 형성되고 나서도 불합리함이 계속된다. 사람들은 일단 의견을 가지게 되면 좀처럼 그것을 바꾸지 않기 때문이다. 루소는 말한다. "사람이 어떤 확고한 의견을 미리 가지고 있을 때 상대를 있는 그대로 본다는 건 어려운 일입니다. 각자 자기 판단에 일치하는 것만 보거나 인정하고, 반대되는 것은 거부하거나 자기 식으로 설명하지요. 그건 이기심의 당연한 작용이에요."[16] '사람은 자기가 보는 것을 믿는 게 아니라 믿는 것을 보기 마련'이라는 말처럼 자기 관점 혹은 선입견에서 벗어나는 것은 아예 보려고도 하지 않는다는 것이다.

실로 선입견의 작동방식은 무서울 정도로 자기중심적이어서 자기 판단의 잘못이 드러나더라도 그 책임을 어떻게든 상대에게 돌리고야 만다. "그가 옳다고 인정하면서도, 아마 그의 죄 때문이 아니라 (그를 오해한) 나의 잘못 때문에 훨씬 더 그를 미워할 것 같습니다. 내가 그를 부당하게 대한 것에 대해 나는 결코 그를 용서하지 못할 겁니다."[17] 오해는 내가 했고 상대는 그 피해자인 셈인데 나는 내 과오를 인정하는 대신 어떤 이유에서인지 상대를 더 미워하게 되는 것이다.

루소는 실제로 사람들이 자기를 대하는 방식에서 그것을 느꼈다. "보이는 것에 의해서만 타인을 판단하는 사람들은 그(루소)에게서 보잘 것 없는 것밖에 볼 수 없으므로 그의 가치를 실제보다 더 낮게 평가할 겁니다. 그리고 처음에 그들이 인정했던 것보다 더 많은 재치와 재능을 그에게서 발견하게 되면, 그에 대해 처음에 자신들이 실수한 것 때문에 그들의 이기심이 그를 용서하지 않을 겁니다."[18] 상대가 보잘 것 없는 존재여야만 그를 폄하한 내 에고가 정당화될 터인데 실은 내가 착각한 것이라면 그 때부터 상대는 내 에고의 존엄성 혹은 정당성에 해를 끼친 존재가 되어버린다.

상대에 대한 자신의 과오를 알아차리고 얼굴이 붉어지면서도 그것을 인정하고 사과하기는커녕 오히려 상대를 그만큼 더 증오하게 되는 이기심의 작동방식이야말로 어처구니없는 자기기만이 아닐 수 없다. 이쯤 되면 내 판단이 맞고 틀리고가 아니라 내 자아가 옳고 그른 것의 문제가 되어버린다. 그 결과 내 오해로 인한 희생자마저도 내 자아에 해로운 존재로 둔갑해버리는 것이다.

모방

앞에서 말했지만 루소에 따르면 인간의 정신은 천성적으로 게으른 탓에 스스로 생각하는 수고 대신 다른 사람들처럼 생각하는 것을 좋아한다.[19] 자기 스스로 대상에 대한 이해에 도달하기는 어렵지만 다른 사람의 그것을 흉내 내기는 쉽기 때문에 사람들은 주변을 돌아보고 그대로 따라 하는 것이다. 그리고 이처럼 타인을 모방하는 건 자기 생각과 행동의 자유를 포기하는 것이다.

루소가 직접 겪어보고 묘사한 18세기 파리 사교계의 사람들은 스스로 생각하는 것을 멈춘 근대인의 표본이다. "사람들 모두는 매일 저녁 그 다음날 생각할 것을 배우러 사교모임에 갑니다. 이런 식으로 다른 사람들 모두를 위해 몇몇의 남녀가 대신 생각하고 그 몇몇을 대신해서 다른 모든 사람들이 말하고 행동하지요."[20]

모방은 말하고 생각하는 것뿐 아니라 당연히 유행에도 적용된다. 루소는 유행을 추종하는 18세기 파리 여인들을 묘사했는데 그 모습은 영락없는 현대 여성들이다. "모임에서 어떤 부인에게 접근하면, 당신은 머릿속에 그려본 파리 여자 대신 유행의 화신만을 볼 것입니다. 키, 풍만한 몸, 허리, 젖가슴, 안색, 분위기, 시선, 말, 태도 등 이 모든 것 가운데 그녀에게 고유한 것은 전혀 없어서, 만일 있는 그대로의 그녀를 본다면 당신은 그녀를 못 알아 볼 겁니다."[21]

이처럼 남들의 말과 생각 그리고 유행을 추종하는 사람은 자기의 본래 모습을 가면으로 가릴 수밖에 없으며 결국 그것은 자기에게 낯선 것이 되어 버린다. "자기가 어떤 존재인가 하는 것은 아무 의미도 없고 다만 어떻게 비쳐지느냐가 그에게 전부다. 그는 자신의 내면에서 이방인이고, 그래서 부득이 자기 내면으로 돌아가지 않을 수 없게 되면 불편을 느낀다."[22] 보여주고 싶은 모습과 본래 모습의 괴리, 즉 자아 분열이야말로 사람들이 고독을 불편해하는 진짜 이유일지 모른다. 홀로 있으면 본래 모습을 돌아볼 수밖에 없기 때문이다.

이 점에서 루소가 살던 18세기와 현재를 비교하면 어떨까? 250여 년이 지나는 동안 개인주의가 발달한 만큼 현대인은 자기 개성을 자유로이 발휘하지 않을까라는 기대는 너무 희망적이다. 오히려 사회가 커지고 복잡해질수록 개인의 역할이나 존재에 대한 느낌은 축소된다. 그 결과 현대인은 자신감이 줄어들고 개성의 발휘에도 소극적이다. 현대인은 자기 삶이 진정으로 자신이 원하는 곳을 향하고 있는지 따져보는 대신 목표를 남보다 더 빨리 달성할 방법에 골몰한다. 삶의 목표가 자기 성찰에 의한 것인지 아니면 유행이나 세론에 대한 모방의 결과인지는 중요치 않다. 그런 의문은 목표 달성의 장애물로 간주될 뿐이다.

그럼에도 불구하고 현대인은 이를 결함으로 인식하지 못하는 경향이 있다. 프롬이 지적했다시피 한 사회에서 다수의 구성원이 같은 결함을 공유하면 그것은 결함으로 간주되기보다 관행 혹은 정상으로 여겨지기 때문이다. 그가 인용한 스피노자의 말처럼 예컨대 재물만을 탐하는 탐욕이나 명성만을 좇는 야망 같은 광기라 하더라도 사회의 다수가 그 욕구를 공유하면, 즉 사회적으로 정형화되면 그것은 더 이상 병적이거나 경멸스러운 것으로 간주되지 않는 것이다.[23]

이상 개인의 자유의 첫 번째 장애물이 타인에 대한 의존과 모방이라면 그 두 번째는 과도한 욕망이다.

2) 욕망

자연인과 욕망

루소는 자연인과 근대인을 비교하면서 소외에 대한 두려움과 타인에 대한 의존성은 야만인의 특징이 아니라 사회생활을 하는 근대인의 특징이라고 하였다. 그는 『인간 불평등 기원론』에서 사회 이전 상태의 자연인, 즉 야만인을 근대인의 의존성과 편견으로부터 자유로운 존재로 묘사했다. 자연인은 사람들이 자기를 어떻게 생각하는지 별로 걱정하지 않고 미래에 대해서도 크게 신경 쓰지 않으며 자기 자신과 자기 생활을 즐긴다는 것이다.

루소는 자연인이 자유를 누리는 비결을 능력과 욕망의 조화에서 찾았다. 그에 따르면 사람은 능력에 비해 과도한 욕망을 가질 때 실패에 대한 두려움도 많아지고 타인에 대한 의존도 커지는 법인데, 자연인은 능력의 범위를 넘어서는 욕망을 추구하지 않고 자기 행복과 보존에 필요한 일에만 전념한다는 것이다.[24]

그런데 이러한 자연인은 원시시대에만 존재한 것은 아니다. 근대인의 경우에도 가능하며 특히 루소는 자기 자신이 자연인에 가깝다고 하였다. "그(루소)의 영혼에는 본성에 어긋나는 취향도 없고, 충족시키려면 돈이 많이 들거나 죄가 되는 취향도 없습니다. 그가 이 땅에서 최대한 행복해지기 위해 재산은 필요 없었을 겁니다. 명성은 더더욱 필요 없고요. 그에게는 건강과 필수품과 휴식과 우정만이 필요했어요."[25] 요컨대 루소가 자신을 자연인이라고 생각한 이유는 자기 취향 혹은 욕망이 자연적이고 단순한 것이어서 그 충족을 위해 삶의 단순함과 영혼의 평화, 즉 자연인의 상태를 깨뜨리지 않아도 된다는 것 때문이었다.

욕망과 자유

그와 반대로 근대인이 스스로 자유를 포기하거나 의존과 속박에 사로잡히는 이유는 과도한 욕망 때문이다. 사실 자유 경쟁 시대를 산 근대인과 현대인은 야망이 클수록 바람직하다고 배웠다. 따라서 사람들은 자유에 대해서도 마음껏 돈벌이할 수 있는 자유, 마음껏 유명해지고 출세할 수 있는 자유 등 주로 자신의 욕망을 실현함에 있어 외적 구애를 받지 않는 상태를 생각한다. 그 욕망이 자기 필요나 능력과 동떨어진 허황된 것이어도 상관없다. 목표를 세우고 매진하는 의지와 노력이 소중할 뿐 욕망에 사로잡혀 자기 존재를 돌보지 못한다는 사실은 중요하지 않은 것이다.

이처럼 사람들이 욕망의 내용을 문제 삼지 않는 이유는 아마도 욕망의 주체가 자신이라는 생각, 즉 자기 자신이 원한다는 사실보다 더 중요한 건 없다고 생각하기 때문이다. 그러나 설령 내가 원한다고 해서 그것을 꼭 나의 진정한 욕망이라고 말하기는 어렵다. 진정한 욕망이란 나의 자연적 본성 및 필요에 부합하는 것에 국한

되어야 하며 그를 넘어선 욕망은 나의 존재와 무관하게 사회가 키워낸 이기심에 속하는 것이기 때문이다. 이에 관한 논의는 다음 장에서 자세히 하고자 한다.

3) 무의식

도덕적 자유

타인에 대한 의존이든 욕망이든 현대인의 자유를 가로막는 장애물은 외부에서 부과된 것이 아니라 스스로 만들어낸 내적 장애물이다. 따라서 이를 극복하려면 내면의 각성과 실천 의지가 중요하다. 루소는 내적 장애를 극복하는 힘을 도덕적 자유라고 불렀다.

루소는 도덕적 자유를 '자기 스스로 정한 법이나 원칙을 지키는 것'이라고 정의했는데,[26] 말하자면 자기에게 좋다고 판단해 스스로 수립한 선의 규율이나 가치 기준에 따라 행동할 수 있는 힘을 뜻한다. 만약 한 알코올 중독자가 스스로 술을 끊는 것이 좋다고 판단했음에도 불구하고 끊지 못한다면 이는 외부 간섭이 아니라 자기 내면의 장애 때문으로서, 자기가 좋은 것이라고 믿는 바대로 행동할 힘, 즉 도덕적 자유가 없는 것이다. 여기서 내적 장애란 그로 하여금 술을 마시게 하는 어떤 무의식적 충동이나 습관 같은 것이리라. 충동을 따르거나 혹은 의식하지 못한 채 습관대로 한다는 건 내 의지나 본성이 아닌 것에 예속되므로 나는 나 자신의 주인이라고 말하기 어렵다.[27] 이에 대해 루소는 "유혹에 넘어갈 때 나는 충동에 따라 움직이고 내 악덕으로 인해 노예가 되지만, 양심의 가책으로 이를 자책할 때 나는 오직 의지의 소리만을 듣고 자유로워진다"라고 하였다.[28]

이러한 도덕적 자유의 문제는 비단 알코올 중독 같은 극단적인 경우에만 해당되는 것은 아니다. 어떤 행동이 자기에게 좋지 않다는 것, 즉 그것이 선(goodness)이 아니라는 것을 알면서도 감각적 유혹 혹은 단지 무의식적 습관 때문에 행하는 경우는 꽤 많기 때문이다. 앞서 언급했지만 안 좋다는 걸 알면서도 틈만 나면 스마트폰을 들여다본다든가, 과소비하지 않겠다고 결심하면서도 파격세일에 굴복해 어느새 카드를 꺼내는… 이렇듯 도덕적 자유를 가로막는 장애는 다수에게 해당하는 문제이다.

그렇다면 이러한 장애를 어떻게 극복할 것인가? 그 해법으로는 자기 행동이 선의 규율이나 가치기준에 어긋나지 않는지 늘 의식하는 수밖에 없지만, 그러기 위해서는 우선 어떤 자극이 가해질 때 반사적 혹은 충동적으로 반응하지 않아야 한다.

충동과 무의식

운전 중에 뒤차가 갑자기 빵빵거리면 나도 모르게 화가 치밀어

오른다. 상대가 왜 그러는지 생각해보기에 앞서 일단 반사적으로 짜증부터 나는 것이다. 혹은 누가 퉁명스럽게 말하거나 배려 없는 태도를 보여도 속에서 화가 올라온다. 외부로부터 어떤 자극이 가해졌을 때 나의 느낌을 주시하는 대신 감정을 즉각 그리고 반사적으로 표출한다는 건 내가 의식 대신 무의식적 습관으로 행동하고 있다는 증거이다.

이에 대해 오쇼는 화를 잘 내는 사람의 경우 과거부터 분노에 따라 행동하던 것이 자기도 모르는 사이에 습관으로 굳어지게 된 것이라고 하였다.[29] 말하자면 분노의 근원은 자기 내면에 있다는 것이다. 그렇다면 상대의 자극은 내 안에 있는 분노가 밖으로 나오게 하는 문을 열어준 것에 불과하다. 반대로 드물지만 뒤차가 빵빵거려도 화가 나지 않을 때는 필시 나 자신이 심리적 안정과 평화를 느끼고 있을 때로서 내 화를 상대가 열어준 문 밖으로 내보내지 않은 것이다. 이처럼 같은 자극에 대해 상반된 반응을 하는 걸 보면 분노는 그 근원이 나 자신이며 따라서 나 스스로 통제할 수 있는 영역이라는 생각이 든다.

사실 외부 자극에 대해 즉각 폭력성, 분노, 미움 등의 정념을 나타내는 건 분명 동물적 반응이다. 동물적이고 충동적인 정념들은 이성적이고 합리적이어야 하는, 혹은 그렇게 비쳐야 하는 나의 사회생활에는 어울리지 않는 것이므로 평소에는 감추거나 억제한 상태이다. 하지만 이 정념들을 무한정 억누르기는 힘들기 때문에 나는 때때로 안전하게 발산할 방도를 찾는다. 폭력성이 짙은 영화의 주인공이 악당들을 응징하는 장면에서 대리 만족을 느낀다든가 내가 응원하는 팀이나 선수가 상대를 압도하는 스포츠 경기에 몰입함으로서 나의 동물적 정념을 다소간 달래보기도 한다. 하지만 영화나 경기를 보고 난 다음에도 다음 날 또 보고 싶어지는 걸 보면 그 효과가 오래 지속되는 것 같지는 않다.

어쨌든 내 의지와 무관하게 이런 정념들을 표출한다는 건 분명 내가 무의식으로부터 자유롭지 못하다는 표시이다. 그렇다면 이 속박에서 벗어날 방법은 없는 걸까? 우선 정념들을 발산하는 것, 즉 나에게 자극을 준 상대에게 화나 분노로 되갚아주는 건 그다지 도움이 될 것 같지 않다. 경험상 상대에게 화를 낸 경우 곧 바로 부끄럽거나 개운치 않은 느낌이 들었기 때문이다.

이 문제에 대해 오쇼를 비롯한 명상가들은, 나에게 일어나는 일은 타인이 아니라 그 원천이 나에게 있다는 사실을 깨우칠 때 자유를 회복하고 내 삶의 주인이 될 수 있다고 입을 모은다.[30] 변화시켜야 할 대상은 상대가 아니라 자신, 즉 나의 내면이라는 것이다. 따라서 외부 자극에 대해 무의식적으로 즉각 반응하기보다는 내 의식이 작용할 틈을 주는 것이 필요하다. 루소 역시 신체의 요구에서 벗어나 의식을 따르는 것의 중요성을 역설했는데 그럼으로써 자신은 바스티유 감옥 속에서도 자유로울 수 있다고 말했다.[31] 이에 관한 세부 논의 역시 다음 장에서 할 것이다.

3 • 선

선과 도덕

앞에서 우리는 루소의 자유 특히 도덕적 자유와 그 장애물에 대해 살펴보았다. 자유는 원칙적으로 타인, 욕망, 무의식이라는 3대 장애물을 피함으로서 누릴 수 있다. 그런데 육상 장애물 경기에 출전하는 선수가 있다고 해보자. 장애물을 잘 뛰어넘는 것은 기본이다. 하지만 경기를 완주하려면 장애물을 넘은 다음 결승선을 향해 앞으로 달려 나갈 힘도 남아 있어야 한다. 마찬가지로 도덕적 자유를 완성하려면 장애물을 넘는 것 뿐 아니라 주도적으로 나에게 좋은 것, 즉 선을 행하겠다는 의지와 능력도 갖춰야 하는 것이다.

예를 들어보자. 추운 날 밤에 걸어가다 길가에 쓰러져 있는 취객한 사람을 발견하고 잠시 망설이지만 결국 그냥 두고 지나간다. 그런데 자리를 떠난 후에 마음이 개운치 않다. '이런 날에 혹시 저체온으로 죽기라도 한다면… 내가 조금 수고스럽더라도 그 사람을 일으켜 어떻게 해야 하지 않았을까'하는 생각이 얼마동안 떠나지 않는다.

그런데 생각해보면 이런 갈등은 자유와 무관한 것이 아니라 도덕적 자유의 완성을 위해 필요한 것이다. 앞에서 도덕적 자유를 '자기 스스로 정한 선의 규율을 지키는 것'이라고 정의한 바 있는데 이를 풀어 말하면 자기가 좋다고 판단한 것을 실천할 수 있는 힘이라고 할 수 있다. 이처럼 자유가 무엇이나 하는 것이 아니라 자기에게 좋거나 유익한 것, 즉 선(goodness)을 행할 수 있는 힘이라고 한다면 자유를 완수함에 있어 선에 대한 고려는 필요하다.

그런데 자유에 있어 단지 행복보다 선을 고려해야 한다고 하면 뭐가 달라지는가? 사실 인간은 종종 행복과 도덕성 사이에서 갈등을 겪지만 후자가 없이 전자를 생각하기는 어렵다. 다시 말해 도덕적으로 어떤 행동이 요구되는지 알면 그것을 행하지 않고는 진정으로 행복할 수 없다는 것이다.[32] 『신엘로이즈』에서 쥘리와 생프뢰가 쥘리 부모의 결혼반대를 피해 영국으로 도피하라는 에드워드 경의 달콤한 제안을 받았으나 거부한 이유는 부모에 대한 의무를 등지고 도피를 선택하는 것이 부도덕한 일임을 알았기 때문이다. 도피를 선택했다면 그들은 당장 행복했을지 몰라도 낳고 키워준 부모를 치욕에 빠뜨렸다는 죄책감으로 오랫동안 삶이 얼룩졌을 것이다. 이 점에서 인간의 자유는 도덕성, 즉 선이 가미될 때 완성되는 것이다.

루소는 『에밀』에서 자유와 선 그리고 행복은 그 중 하나가 없이 다른 둘을 생각하기 어려울 정도로 긴밀한 관계라고 하였다. "내 영혼의 신이여, 내가 당신처럼 자유롭고 선하고 행복할 수 있도록 당신의 형상을 본 떠 내 영혼을 만든 것에 대해 나는 결코 당신을 비난하지 않습니다."[33] 신의 속성이 자유와 선과 행복이라면 신과 닮은 인간 역시 자유와 선이 결합할 때 행복을 기대할 수 있다. 인간에게 최고의 행복은 자기 존재에 대한 만족, 즉 존재감에서 나오는데 존재감은 차례로 자신이 선하고 자유로운 존재라는 인식에서 비롯되기 때문이다. 말하자면 사람은 자기가 자유롭게 선을 판단하고 행하는 존재라고 여길 때 만족과 행복을 느끼는 것이다.

선과 본성

그런데 선에는 도덕적 측면 뿐 아니라 본성적 측면도 있다. 선(goodness)이란 말이 좋다(good)라는 뜻인 것처럼 선은 나에게 가장 적합한 것, 즉 남이 아니라 내가 필요로 하고 남의 능력이 아니라 내 능력 범위 안에 있는 것을 가리킨다. 다시 말해 나라는 존재에게 가장 알맞은 것이다.

하지만 이상하게 나는 나에게 좋은 것에 좀처럼 만족하지 못하는 성향이 있다. 나는 10년 이상 살고 있는 아파트에 불편을 못 느끼면서도 인터넷에서 넓은 테라스를 갖춘 호화로운 펜트하우스를 보면 그런 집에 살고 싶다는 생각이 든다. 그것이 허황되다는 깨달음이 오면 다음으로 멋들어진 전원주택에 눈을 돌리기도 한다.

또한 10년도 훨씬 넘게 타고 있는 승용차가 불편하긴 커녕 오랫동안 문제가 없다는 점에 감탄하면서도 마음 한 구석에는 '요즘 사람들이 많이 타는 큰 차로 바꿔야하나'라는 마음이 드는 것도 사실이다.

이런 욕구는 내 욕구임에 틀림없지만 나에게 좋은 것이 아니라는 점도 분명하다. 큰 집을 사려면 돈을 벌어야 하고 돈을 벌려면 나는 현재의 평화로운 삶을 포기하고 모험적인 투자에 뛰어들어야 할지 모른다. 그리고 그것은 필시 나를 돈에 예속시킬 것이다.

그럼에도 불구하고 자꾸 펜트하우스를 동경하는 내 마음의 정체는 무엇인가? 루소에 따르면 이런 해로운 정념은 사람들에게서 자주 볼 수 있는 이기심(amour-propre)에 속하는 것이다. 이기심이란 인간 본연의 자기애와는 반대되는 개념으로 사회생활을 하면서 생겨난 정념이다. 한마디로 나에게 없고 남에게 있는 것을 탐하게 함으로서 내 자유를 포기하도록 몰아가는 가짜 자아인 것이다. 따라서 이기심이 존재하는 한 내 마음속에는 늘 자유의 장애물이 자리 잡을 수밖에 없다.

2장
에고

1 • 에고와 자유

이기심 혹은 에고

인간은 외부의 강요나 제약이 없어도 마음속 장애로 인해 판단이나 행동을 그르치는 경우가 많다. 자유롭게 판단하고 선하게 행동하는 것을 가로막는 장애로는 탐욕, 질투, 오만, 분노, 망상 등 여러 해로운 정념들이 있으며 루소는 이 정념들을 통틀어 이기심(amour-propre) 혹은 자만심이라 칭했다. 그런데 이 번역, 즉 이기심 혹은 자만심으로 번역하는 것은 여러 정념들을 포괄하기에 협소하다는 생각이 든다. 만약 루소가 20세기 사람이었다면 아마도 이들을 이기심 대신 에고라고 통칭했을 것이다. 그것이 더 포괄적이며 여러 심리 현상들을 설명하는데 유용할 것으로 보인다. 따라서 이 책에서는 루소의 자만심 혹은 이기심이란 용어를 에고로 바꾸어 부르고자 한다. 다만 필요한 경우 이기심 혹은 이기적이라는 말도 사용할 것이다.

에고란 내면의 자아가 아닌 밖으로 보여지는 외적 혹은 사회적 자아를 가리킨다. 현대인은 대부분 자아의 요구에 따라 자유롭게 살고 있다고 생각하지만 그 자아는 사회 속에서 생겨난 외적 자아, 즉 에고이지 자기 본연의 참자아가 아니다. 에리히 프롬은 현대인이 유행이나 여론을 그대로 수용함으로써 자기 자신이기를 그만두고 타인들의 모습 그리고 타인들이 바라는 모습과 같아지고자 한다고 지적하면서 이를 '자동 인형적 순응'이라고 말한 바 있는데 그 또한 에고의 작용인 것이다.[34]

앞 장에서 살펴봤던 자유의 장애물들, 즉 타인에 대한 의존, 무의식적 행동 그리고 과도한 욕망은 모두 에고의 작용에서 비롯된다. 자극에 대해 기계적으로 반응하며 자기보다 타인을 더 의식하고 자기 필요 대신 유행을 따르며 만족보다는 늘 불만에 차 있는 인간은 에고에 사로잡힌 현대인의 초상이다.

루소가 만났던 18세기 파리 시민들 역시 전형적으로 에고에 사로잡힌 모습이다. "모두들 자기 자신을 사랑하기보다는 자기 자신이 아닌 모든 것을 증오합니다. 너무 타인에게 몰두하기 때문에 자기 자신에게 몰두하지 못하지요."[35] 자기보다 타인에게 더 관심을 쏟을 경우, 우월한 상대에 대한 질투 그리고 자기를 인정하지 않는 자에 대한 분노 등 사실상 만인에 대한 질투와 분노를 나타낼 수밖에 없다. 그리하여 루소는 자신이 살던 18세기에 대해 '타인을 불행하게 할 수만 있다면 자기 자신의 행복에 대해서는 신경 쓰지 않는 세기'라고 하였다.[36]

이처럼 사회 속에서 사람은 남과 비교하여 자신의 상대적 우월성을 확인하고자 한다. 그러나 이런 바람은 본래 이루기 어렵다. 루소는 "이기심이라는 감정은 다른 사람들이 그들 자신보다 자기를 더 좋아하기를 요구하는데, 이는 불가능한 일이다"라고 하였다.[37] 사실 남을 인정한다는 건 자신을 상대적으로 열등하게 여긴다는 것인데 그것이 어디 쉬운 일인가?

에고가 개인의 불행과 사회적 갈등의 원인이라는 건 심사숙고하지 않아도 알 수 있다. 에고는 야망을 품고 최고가 되길 원하지만 현실의 나는 늘 못 미칠 수밖에 없다. 그래서 스스로를 자책하고 불만을 느낀다. 그리하여 에고는 무수한 고통과 불행, 광기 등을 만들어내는 것이다.

오쇼가 말한 것처럼 산과 들, 나무와 새들이 아름다운 이유는 자기 자신으로 존재하기 때문이다. 하지만 인간은 비교, 경쟁, 모방, 좌절 그리고 질투라는 정념들을 통해 자신을 타락시키고 세상을 추하게 만들었다.[38] 이러한 정념들을 만들어내고 지지하는 것이 에고임에도 불구하고 현대 사회는 에고에 대해 관대한 편이다. 에고는 인간의 자연스러운 정념으로 법에 어긋나지 않으며 오히려 성취를 위한 자극제로서 자신과 사회에 이익이 된다는 생각이 퍼져있다.

에고의 형성

오쇼에 따르면 에고란 참자아를 잊어버리라고 사회가 나에게 만들어준 도구이다.[39] 태어났을 때 나는 참자아로 존재했지만 사회는 가문, 학벌, 부 등을 기준으로 가짜 자아를 만들어주기 시작한다. 사회는 나에게 야망을 심어주면서 참자아에 대한 그릇된 관념을 만드는 것이다.

에고를 염두에 두면 우리는 왜 사람들이 자기 자신이 되기보다 권력과 명예 등을 얻으려고 다투는지 이해할 수 있다. 무엇보다 먼저 부모와 교사 그리고 사회는 나를 있는 그대로 받아들이지 않고 '훌륭한' 사람, 즉 사회에서 인정받는 사람이 되라고 압박한다.[40] 그 방법은 당연히 사회에서 출세하는 것, 즉 돈, 권력, 지위를 얻는 것이다. 아무도 나의 내면의 행복, 즉 마음의 평화와 기쁨은 고려하지 않는다. 나의 타고난 본성은 무시되거나 출세의 장애물로 간주된다.

이처럼 에고는 사회가 강요한 것으로서 사회는 나의 참모습을 가리는 가면을 씌운 것이다. 때문에 나는 자신이 누구인지 잘 알지 못하며 내가 나라고 생각하는 관념들은 대부분 사회가 강요한 것들이다. 이와 같이 평생 밖에서 주입한 마음에 맞춰 살면 사실상 다른 사람의 인생을 사는 것이다. 오쇼에 따르면 세상에 고통이 많은 이유는 바로 그 때문이다.[41]

우리는 앞에서 자유의 3대 장애물이 모두 에고의 작용에서 비롯된다고 하였다. 따라서 에고가 장애물들에 어떻게 자양분을 공급하는지 살펴본 다음 3장에서 에고를 극복하는 방안들을 궁리할 것이다.

2 • 에고와 욕망

욕망과 삶

우선 에고는 무한 욕망, 즉 충족될 수 없는 욕망을 생겨나게 한다. 이기적인 사람은 실제 삶의 필요에서가 아니라 자기 우월성을 인정받기 위해 부와 지위 그리고 권력을 추구한다. 그런데 이 우월성은 타인에 대한 상대적 우월성이며 비교 대상은 끝이 없다. 따라서 욕망은 그것이 충족되는 순간 바로 새로운 욕망을 낳기 마련이며 만족 역시 계속 지연될 수밖에 없다. 한마디로 에고는 만족을 모르는 욕망인 것이다. 그런데 과도한 욕망의 문제는 그 충족이 어렵다는 점에만 있는 것이 아니라 내 삶을 망쳐놓는다는 점이다.

내 마음이 욕망으로 가득 차 있으면 나는 지금 이 순간에 주의를 기울이지 않는다. 내 시선은 늘 욕망이 충족될 미래를 향하기 때문에 현재의 삶에 전념하지 못한다. 그 결과 눈앞의 대상을 보면서도 제대로 보지 못하고 눈앞의 상대를 느끼면서도 깊이 느끼지 못한다. 이처럼 현재의 삶을 소홀히 하면 작은 일도 이루기 어렵거니와 작은 일이 실현되지 못하면 큰 일이 실현될 가능성은 더 희박해진다. 이렇게 현실이 늘 내 손에서 빠져 나감으로써 나는 결국 삶을 망치게 될 것이다.[42]

그럼에도 사람들은 좀처럼 현재에 의미를 부여하지 않는다. 미래는 불확실한 것임에도 오히려 그 점이 현재를 희생시키는 방향으로 작용한다. 말하자면 미래에 어떤 일이 일어날지 모르므로 현재의 삶을 미래에 대비하는 수단으로 삼아야 한다는 것이다. 하지만 미래를 대비하느라 현재를 돌보지 못한 채 결국 한 번도 삶을 느껴보지 못하고 생을 마감하는 경우를 수없이 보지 않는가? 멀리 갈 것도 없이 당장 우리 부모님 세대가 그러했다.

욕망과 행복

욕망에 있어 나에게 요구되는 건 내가 현재 필요한 것만 욕구하고 그것을 이루기 위해 현재에 집중하는 것이다. 하지만 에고에 휩싸인 나는 내 진정한 필요가 무엇인지 보려 하지 않는다. 만약 들여다보면 나에게 진정으로 필요한 것은 언제나 적으므로 나는 금방 만족할 것이고 삶은 행복해질 것이다. 그러나 에고가 작용하면 나의 필요를 남의 그것과 비교하고 모방하게 된다. 그리고 모방하면 수 만 가지 새로운 필요가 생겨난다.[43]

행복해지기 위한 욕망의 기준은 무엇이 되어야 할까? 오쇼에 따르면 그것은 정신적 욕망이 아니라 육체적 필요를 충족시키는 욕구여야 하며 남이 아닌 나 자신의 필요에서 나온 것이어야 한다.[44] 예를 들어보자. 앞에서 말했지만 나는 10년이 훌쩍 넘은 작은 차를 타고 다닌다. 사람들은 대개 큰 차를 선호하지만 나는 작은 차가 운전하기에 편하고 또 연료를 덜 먹기 때문에 좋다고 생각하는 편이다. 그리고 작은 차임에도 불구하고 승차감이 나쁘지 않고 고장도 없는 편이므로 이 차의 교체를 생각할 이유는 하나도 없는 것이다. 그럼에도 불구하고 내가 자동차 시승기를 보면서 다른 차를 기웃거린다면 그건 내 몸의 필요-승차감이 좋지 않아 불편하고 피곤하다거나 혹은 낡아서 위험하다거나-에서가 아니라 내 마음이 시키는 것이다. 즉 내 차가 낡았다는 생각, 그리고 멋지고 큰 차를 선호하는 유행을 따르면 어떨까하는 생각 때문이다.

에고는 끊임없이 새로운 목표를 불러오고 그것을 달성해야 행복해질 수 있다고 속삭인다. 현재의 나를 불행하다고 규정짓고 늘 새로운 행복의 길을 제시하는 것이다. 이처럼 자기 에고로 인해 불행한 사람에게서 어떤 선함을 기대하기는 어렵다. 루소에 따르면 인간은 욕구를 많이 갖지 않고 자기를 다른 사람과 자주 비교하지 않을 때 선량하게 되는 반면, 많은 욕구를 갖고 평판에 지나치게 집착할 때 악해진다.[45] 사회에서 타인과 맺는 관계가 탐욕, 오만, 복수심, 허영, 시기심 등 여러 부정적 형태를 띠는 이유도 에고의 작용에 있다. 루소는 "온화하고 다정한 정념은 자기애에서 생

겨나고, 남을 미워하고 걸핏하면 화를 잘 내는 정념은 이기심에서 생겨난다"라고 하였다.[46]

그러나 욕망 자체를 문제 삼는 건 올바른 접근이 아닐 수 있다. 실제로 욕망이 없는 사람은 상상하기 어렵다. 욕망이 인간 활동의 원동력임은 부정할 수 없거니와 욕망이 없다면 삶의 발전은 고사하고 그 유지도 어려울지 모른다. 따라서 욕망의 크기나 유무보다 더 중요한 건 그 방향이다. 그것이 내 존재의 필요에 부합하고 그 추구 과정이 내면의 성숙으로 이어질 수 있는 욕망이라면 욕망의 크기나 실현 여부는 문제가 되지 않을 것이다. 욕망을 추구하며 노력하는 것 자체가 내 존재에 유익하기 때문이다.

루소도 능력을 그대로 둔 채 단지 욕구를 줄이는 수동적 방식이 능사는 아니라고 하였다. 그의 말처럼 우리 능력이 게으른 채로 남아 있으면 '우리는 존재 전체를 즐기지 못할 것'이다.[47] 따라서 능력을 키우고 올바른 방향으로 발휘하는 것이 바람직하다.

3 • 에고와 타인

에고와 두려움

사람들은 혼자 있을 때 평온하고 침착하기보다는 불안하고 혼란스러워 하는 경우가 많다. 그 이유는 에고라는 가짜 자아를 자기 자신으로 여기기 때문이다. 에고는 자신을 있는 그대로 받아들이지 못한 채 남과 비교함으로서 혼란과 두려움에 시달리는 일종의 상처받은 자아이다.[48]

에고의 시선은 자기 내면이 아니라 외부, 즉 타인을 향한다. 에고는 타인이라는 거울에 비친 나를 진짜 나라고 생각하기 때문에 내가 혼란과 두려움에 싸여 있을 때에도 나 자신을 들여다보는 대신 타인과 세상의 인정을 받기 위해 노력하라고 압박한다. 그것이 혼란과 두려움에서 벗어나는 길이라고 채근하는 것이다.

사실 나는 타인에게 인정받을 수 있는 확실한 방법으로 소유나 능력이 아닌 다른 것을 알지 못한다. 따라서 돈이나 권력, 외모 등 사람들이 선망하는 것을 더 많이 가지려 하고 또한 지식과 수완을 통해 내 능력을 과시하려 한다. 에고에서 비롯된 두려움이 나를 더 큰 욕망으로 내모는 것이다.

혹시 이렇게 생각할 수 있을까? '에고가 시켰든 아니든 간에 큰 야망을 실현하고 인정을 받는다면 그 삶은 의미가 있는 게 아닌가?'라고. 그러나 비록 내가 타인의 인정을 받게 되었지만 그 '나'가 실은 참나가 아닌 거짓된 자아라면? 게다가 타인을 모방하고 따라가느라 진정한 나, 즉 내면의 자아에 대해서는 소홀히 할 수밖에 없었다면? 사실 우리는 어릴 때부터 그렇게 하라고 배워왔다. 늘 '아무개처럼 되라'고, 즉 나 아닌 누구를 모방하라고 배운 것이다.[49] 이것이 주변에서 자신을 존중하는 사람을 찾기 어려운 이유일 것이다.

그러나 타인의 인정을 갈구하는 것만큼 허망한 것도 없다. 생각해보면 타인의 평가나 인정이 얼마나 피상적인지 알 수 있다. 우리가 흔히 하는 착각의 하나는 다른 사람들이 나에 대해 관심을 가진다고 믿는 것이다. 그러나 그들은 자기들의 에고와 관련된 부분, 즉 밖으로 드러난 나의 소유나 성취를 통해 판단할 뿐 나의 내면에 대해서는 관심이 없다. 따라서 타인이 인정하는 내 모습은 내 존재의 극히 일부에 불과한 것이다.

게다가 에고는 나를 위선자로 만들게 마련이다. 사람들은 뭔가 나쁜 것이 있으면 숨기고 아름다운 것을 갖고 있으면 광고하고 과시한다.[50] 따라서 타인에게 비쳐진 자아와 진짜 자아 사이의 괴리는 클 수밖에 없다. 그리고 이 괴리는 자아의 혼란과 분열을 불러온다. 그런데 이 경우 에고는 혼란과 불안의 원인이 내 성취가 부족한 탓이라고 진단하고 인정받기 위해 더욱 노력하라고 처방한다. 그리하여 떨쳐버려야 할 거짓 이미지가 오히려 나를 옥죄는 사슬이 된다.

그렇다면 어떻게 할 것인가? 우선 타인에게 인정받는다는 건 근본적으로 타인을 열패감에 빠뜨리는 것임을 알아야 한다. 왜냐하면 사람은 누구나 상대를 인정할 때 자기가 그보다 열등한 사람이라는 걸 자인하는 셈이기 때문이다. 그럼에도 불구하고 인정을 받아야 직성이 풀린다면 어떻게 해야 하는가? 우리는 사랑에서 힌트를 얻을 수 있다. 뒤에서 보겠지만 가장 사랑받는 매력적인 사람은 가장 사랑을 잘 하는 혹은 먼저 사랑을 주는 사람인 것처럼, 타인으로부터 인정을 끌어내는 길은 내가 먼저 타인을 인정하는 것이다. 물론 그러려면 에고를 잠시 내려놓아야 한다.

4 • 에고와 무의식

『신엘로이즈』에서 볼마르는 에고를 통제하는 모습을 보여준다. "볼마르씨의 가장 큰 취미는 관찰하는 것입니다. 인간들의 성격과 자신이 목격하는 행동을 판단하기를 좋아해요. 아주 지혜롭고 공명정대하게 그것들을 판단하지요. 어떤 적이 그에게 해를 입힌다 해도, 그는 자신과 무관한 일을 다루는 듯 차분하게 그 동기와 수단을 논의할 거예요."[51] 여기서 핵심은 관찰과 객관화이다. 상대로부터 모욕이나 공격을 받았을 때 분노하는 마음과 자신을 동일시하지 않고 마치 '자신과 무관한 듯' 자기 마음을 관찰하는 것이다. 그럼으로써 그는 상처를 입고 분노나 복수를 부추기는 것이 자신의 참자아가 아닌 에고임을 알아차린다. 반면 참 자아는 내면의 중심에 있으므로 타인이 공격할 수도 모욕을 줄 수도 없다. 그리하여 그는 자신이 받는 공격을 마치 남의 일인 양 무심하게 대할 수 있다.

반면 나는 상대로부터 모욕이나 비방을 받을 때 거기에 즉각 화를 내는 것으로 반응한다. 이러한 반응은 얼핏 상대의 자극이 부당함을 일깨워주는 정당한 것인 것처럼 보이지만, 사실은 상대의 자극에 내 정념이 휘둘린 것으로 나는 내 정념을 통제하는 주인이 되지 못한 것이다.

사실 상대가 내 분노를 자극하더라도 그것을 받아들이거나 받아들이지 않는 것은 내 자유이다. 그것이 타당하다면 받아들여 나의 생각이나 행동을 고치면 되는 것이고 그 반대의 경우라면 화를 내는 대신 그냥 받아들이지 않으면 되는 것이다. 속에서 분노가 일어나도 그것은 나의 참자아가 아니기 때문에 나에게 타격을 주지 못한다. 예를 들어, 드물기는 하지만, 집에서 아내가 나를 질책했을 때 그것이 기분 나쁘거나 부당하다고 생각하여 거기에 대해 화로 갚아주면 아내는 자기 행동을 돌아볼 기회가 없을 것이다. 왜냐하면 이제 아내의 질책이 아니라 나의 화가 남게 되어 아내는 그것에 대해서만 신경을 쓸 것이기 때문이다. 반대로 내가 아내의 질책에 반응하지 않고 그냥 그대로 있으면 질책이 남게 되며 아내는 그것을 다시 가져가 자기 행동을 돌아보게 될 것이다. 따라서 상대의 자극에 대해 반사적으로 반응하지 않는 것이 내 정념의 주인이 되고 가정의 평화도 지키는 길이다.

동일시

이처럼 나는 마음 혹은 정념과 나를 동일시하지 않음으로써 에고로부터 벗어날 수 있다. 나는 흔히 마음과 나를 동일시하는데 그것은 내 참자아가 아니다. 마음은 생각이 모여 이루어진 것, 즉 생각의 흐름이다. 마음과 동일시할 경우 나는 우선 좋다고 생각되는 것에 쉽게 빠져 들어간다. 그러나 이 마음은 곧 변할 수밖에 없는데, 좋다고 생각되는 것은 꼭 그 뒤에 좋지 않다고 생각되는 것을 그림자처럼 달고 오기 때문이다.[52]

오쇼는 다음의 예를 든다. 아름다운 여인을 만나 사랑에 빠진 한 남자는 이루 말할 수 없는 즐거움에 차 있다. 그러나 동시에 그의 마음속에는 '여자가 나를 떠나면 어떡하나'라는 불안과 두려움이 자리한다.[53] 혹은 각고의 노력으로 대기업 임원으로 승진한 사람은 그 기쁨이 '내년에 실적이 나쁘면 어떻게 될까'라는 두려움을 동반한다.

이처럼 시시각각으로 변하고 어쩌면 그 자체가 모순 덩어리인 마음의 실체를 파악하기란 무척 어렵다. 아니 그보다 마음에 실체가 있는 건지도 의심스럽다. 만약 거센 파도가 몰아치는 바다를 보면서 '저것이 바다의 실체야'라고 생각했다면 과연 인류는 바다로 진출할 엄두를 낼 수 있었을까? 파도가 몰아치다가도 언제 그랬냐는 듯 금세 잔잔해지는 걸 보면 파도는 바다의 실체가 아니며 바다를 파도와 동일시할 수도 없다. 폭풍과 파도는 바다의 표면을 어지럽히는 일시적 교란자일 뿐 엄마 품 같이 넉넉하고 잔잔한 것이 바다의 실체인 것이다.

마음과 참 자아의 관계도 파도와 바다 같은 것이다. 마음이 기쁨과 두려움으로 나를 어지럽혀도 내 본질, 즉 참 자아는 변할 수 없다. 사랑의 기쁨과 이별의 슬픔이 작은 일은 아니지만 나라는 존재는 여인을 만나기 전에도 삶을 살았고 헤어지고 나면 다시 예전처럼 살거나 다른 사람을 만날 것이다. 또한 나는 임원이 되기 전에도 직장에서 일을 했고 임원 노릇을 그만두면 직장을 옮기거나 다른 일을 하면서 내 삶을 이어갈 것이다. 여인과의 만남이나 임원 승진은 나라는 바다를 어지럽힌 파도에 불과한 것이다. 따라서 변덕스럽고 모순에 찬 마음과 동일시함으로써 내 존재에 공연히 혼란과 분열을 자초할 필요가 없다.

명상가들은 이처럼 마음이 내 존재와 하나가 아님을 확인하고 마음으로부터 나를 분리시킬 것을 주문한다. 나는 마음과 떨어져 있으며 마음을 지켜보는 자임을 의식하는 것이다. 핵심은 나와 마음의 사이를 벌려 놓는 것이다. 좋고 아름다운 것에 마음이 끌리거나 슬프고 추한 것에 마음이 타격을 받아도 마치 관객이 영화를 보듯 가능한 한 거리를 유지한 채 보는 것이다. 명상가들은 이렇게 해보면 놀랍게도 마음이 약해진다고 말한다. 마음은 동일시에서 그 힘을 얻는데 동일시가 끊어지면 에너지를 얻을 수 없기 때문이다.[54]

의식과 깨어 있음

마음과 동일시하지 않는다는 건 내 존재가 마음과 별도로 존재한다는 걸 의식하는 것이다. 그리하여 의식이 깨어있을 때 나는 마음, 즉 에고로부터 벗어날 수 있다. 에고는 참자아의 어두운 면, 즉 그림자이므로 의식의 빛으로 참자아를 밝히면 그림자는 사라지기 마련이고[55] 이어서 그것이 가리고 있던 본질, 즉 나의 진면목이 드러나는 것이다.

그러나 에고라는 그림자는 언제든 다시 생기려 할 것이기 때문에 내면의 존재를 늘 밝은 상태, 즉 깨어 있는 상태로 유지하는 것이 필요하다. 내가 분노나 화 같은 격한 감정에 휩싸인다는 건 내 에고가 상처를 입었다는 것이고 상처 난 그림자의 명령에 나 자신이 휘둘리고 있다는 것이다. 따라서 화가 날 때는 의식을 깨움으로서 그림자를 사라지게 해야 한다.

의식의 빛으로 참자아를 밝힌다는 건 어렵다는 인상을 준다. 그러나 그것은 앞에서 볼마르의 경우를 통해서 본 관찰 및 객관화와 다르지 않다. 자신을 둘러싸고 있는 것들과 동일시하지 않고, 즉 집착하거나 비난하지 않고 객관적인 관찰자가 되어 그저 고요히 있는 그대로 바라보면 되는 것이다.[56] 명상 이론에 따르면 의식이 깨어나 마음 밖에 서서 나와 마음은 아무런 관계가 없는 것처럼 그냥 지켜볼 때 마음, 즉 생각의 흐름은 서서히 사라진다는 것이다.[57]

생각해보면 나의 어리석음은 습관적 무의식에서 비롯되는 경우가 많다. 나는 생각 없이 늘 뭔가를 행한다. 나는 과거로부터 이어진 무의식적 습관에 따라 행동하는 것이다. 따라서 새로운 상황이 되어도 그저 과거에 하던 대로 되풀이 한다. 마치 알코올 중독자가 처음 술을 마실 때는 나름의 이유가 있었지만 나중에는 상황이 바뀌어 술을 마실 이유가 사라졌는데도 그냥 하던 대로 술을 찾는 것과 같다. 바뀐 상황에 맞게 대응하고자 한다면 무의식적 습관에서 벗어나 현재의 의식으로 행동해야 한다.

의식한다는 건 더 깊게 주의를 기울여 내 신체와 마음을 통제하는 것이다. 한 마디로 나 자신의 주인이 되는 것이다. 그 점에서 의식하지 않는 사람들의 행동은 진정한 행동이 아니라 무의식적 반동이다. 반동은 외부의 자극에 따라 마치 기계처럼 움직인다는 점에서 내가 아닌 다른 것이 내 행동의 주인이 되는 것이다.[58]

우리의 일상이 얼마나 무의식적으로 행해지는지 생각해보면 의식 혹은 자각으로 고칠 수 있는 여지가 크다는 걸 알게 된다. 우리는 음식을 먹을 때도 무의식적으로 혹은 자동적으로 먹는다. 음식의 맛을 음미하지 않고 그저 때가 되면 배를 채우는 경우가 보통이다. 특히 요즘처럼 멀티태스킹이 일반화된 시대에는 그냥 음식만 먹는 경우는 거의 없다. 마치 먹는다는 건 전념할 만큼 가치 있는 게 아니라는 듯 혼자 먹을 때도 늘 무얼 보면서 먹는다든가 적어도 음악을 틀어놓고 먹는다. 어떻게든 먹는 것을 의식하지 않으려는 사람들 같다.

이처럼 의식하지 않고 먹으면 어떻게 될까? 우선 맛을 음미하지 못함으로써 미각은 무뎌지고 감각의 퇴화로 연결될 수 있다. 뿐만 아니라 음식을 천천히 그리고 충분히 즐기지 못함으로써 식사에 대한 만족도도 그 만큼 떨어질 것이다. 나아가 식사에 만족하지 못하면 배 상태와 상관없이 다른 음식을 찾거나 다른 대체물을 찾게 된다. 미완은 흔히 과잉을 불러온다.

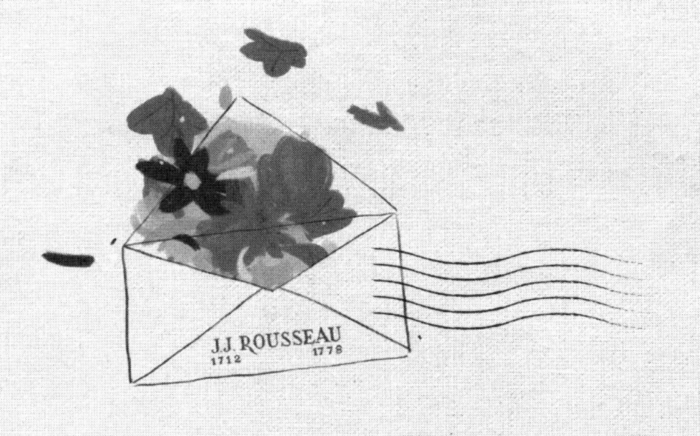

3장
존재

에고의 압박

나는 어쩌다 혼자 있게 되더라도 아무 것도 하지 않고 멍하니 있는 적은 드물다. 계속 뭔가를 하거나 속으로 끊임없이 무언가를 말하고 있다. '불멍'이란 말이 생겨났다는 건 사람들이 평소에 멍하니 앉아 있는 경우가 드물다는 뜻이다. 그런데 계속 움직이거나 지껄인다는 건 내 마음이 편치 않다는 증거이다. 편안하고 만족스러우면 굳이 뭔가를 해서 그 상태를 어지럽히지 않을 것이다. 사람들이 홀로 있기보다 다른 사람들과 어울리는 것도 마찬가지다. 혼자서 평화롭고 편하다면 굳이 누군가를 찾겠는가.

그렇다면 왜 별 이유도 없이 마음이 불편하거나 우울할까? 명상가들에 의하면 그건 에고가 현재의 나를 비하하면서 다른 존재가 되라고 압박하기 때문이다. 나는 부모, 아내, 이웃, 교사, 친구 등 주변의 요구와 기대를 충족시키지 못한 탓에 초라하고 하찮은 인간이라는 생각이 마음 깊은 곳에 자리 잡고 있다.[59] 따라서 고요히 나 자신과 마주하고 싶지 않다.

에고는 나와 남을 비교하는 데서 자양분을 얻기 때문에 만약 비교하지 않고 내 존재에 집중한다면 나는 에고를 사라지게 할 수 있고 삶에 대해 불만족할 일도 없어진다. 흔히 하는 말이지만 늘 지저귀며 노래하는 새들도 주어진 삶에 불만을 품지 않는데 하물며 신과 가장 가깝다는 인간이 만족하지 못할 이유는 없다. 루소도 인간은 자기 삶에 만족하는 것이 본성에 가장 합당한 것이라고 하였다. “내 상태에 만족하지 않는 것은 더 이상 인간이기를 원치 않는 것이고, 존재하지 않는 다른 것을 원하는 것이며, 무질서와 악을 원하는 것이다.”[60]

그럼에도 에고는 더 완벽해지라고 압박하면서 계속 문제를 만들어낸다. 사실 문제가 끊이지 않는 걸 볼 때 사람들은 어쩌면 문제없이 사는 걸 좋아하지 않는 것 같기도 하다. 실로 문제들은 내가 사소한 것들에 매달리게 해준다. 내면의 중심으로 들어가 참자아를 직면하고 싶지 않은 나는 늘 문제들을 만들어내고 문제들은 내가 계속 주변에 머무르도록 도와주는 것이다.

이처럼 나 자신을 외면할수록 에고는 더욱 힘을 얻는다. 반대로 나 자신에게 더 주의를 기울이고 늘 깨어 있는 의식을 유지하면 에고를 떨쳐버릴 수 있다. 결국 외적으로 에고를 낳는 환경을 차단하고 내적으로는 나의 본성을 깨닫고 회복하는 것이 관건이다.

사회와 에고

본성을 되살리기 위해서는 우선 에고를 낳는 환경을 차단할 필요가 있는데, 루소는 사회가 바로 그것이라고 하였다. “저는 사람들의 행동과 말이 전혀 일치하지 않는다는 것을 알게 되어 그 이유를 연구했습니다. 저는 그 원인을 인간의 본성과 상반되지만 본성에 영향력을 행사하면서 끊임없이 자기 권리를 주장하는 우리의 사회질서 속에서 발견했습니다."[61] 루소는 그 모순만으로도 인간과 사회의 모든 악덕과 불행을 설명할 수 있다고 하였다.

루소는 자기 사상의 대원칙을 "자연은 인간을 행복하고 선하게 만들었지만 사회가 인간을 타락시키고 비참하게 만든다는 것입니다"라고 밝힌 바 있는데,[62] 이러한 사회의 악덕을 실제로 체험한 것은 그가 서른 살 무렵 파리에 본격적으로 거주하기 시작하면서부터였다. 그에 눈에 비친 파리라는 대도시는 한마디로 자기 이익을 위해 타인을 기만하고 도구로 이용하는 타락한 인간관계가 지배하는 사회였다. 루소는 거짓과 기만이 난무한 파리에서 몇몇 집에 자주 드나들었는데 가장 교양 있는 사람들에게서조차 배신과 위선과 거짓밖에 볼 수 없었다고 하였다. 위선과 조롱에 염증을 느낀 그는 결국 그들에게 경멸을 감추지 않으면서 은둔했다.[63]

그러나 인간 본성의 선함을 믿고 있었던 루소에게 문명인의 타락은 본래 상태가 변질된 것일 따름이었다. 그는 문명인과 대비하기 위해 최초의 인간을 가상적으로 그려내었는데 그것이 유명한 원시상태의 야만인이었고 그가 변질되는 과정을 그린 것이 루소의 데뷔작 『인간 불평등 기원론』이다.

자연인

집도 가족도 없이 숲속 동굴에서 기거하며 다른 동물들과 섞여서 생활한 야만인은 인간 본성을 구현한 자유인의 원형이었다. 그는 자기보존이 유일한 관심사이며 제한된 욕구, 충분한 힘 그리고 원하는 것을 할 수 있는 자유를 가짐으로써 타인에게 의존하지 않고 자기 욕구를 충족시켰다. 루소는 '야만인의 욕망은 육체적 욕구를 초월하지 못한다. 그가 세상에서 알고 있는 행복은 음식과 이성과 휴식뿐'이라고 하였다.[64] 이러한 자기보존을 위한 노력은 타인에게 거의 해가 되지 않으므로 이 상태는 평화로 귀결되었다.[65]

자족성과 함께 야만인의 두드러진 특징은 온전함(wholeness)이다. 그는 내면의 갈등이나 분열을 겪지 않았는데, 특히 의무란 걸 몰랐으므로 성향과 의무의 갈등을 겪지 않았다 요컨대 야만인은 최소한의 욕구 그리고 그를 충족시킬 수 있는 힘과 자유를 갖추고 갈등이나 자아의 분열 없이 존재 전체로 살아갈 수 있었다.

하지만 점차 가족이 생기고 재산이 형성되며 무엇보다 사회생활이 발달하면서 그에게는 새로운 욕구가 생겨나는데, 그것은 타인과 비교하여 자신의 가치를 평가하려는 자의식이었다. 그는 자신을 인정해주고 도와줄 타인을 필요로 하게 되었으며 그로부터 이기심이 비롯되었다. 그 결과 문명인의 내면은 이제 둘로 분리되어 있다. 본래적인 자애심 혹은 자기애는 일부가 남았을 뿐 나머지 대부분은 이기심으로 변형되었다.

이와 같이 자기애, 자족성 그리고 온전함으로 요약되는 야만인의 심성은 바로 근대 문명인이 상실한 인간 본성의 특징이기도 하였다. 그렇다면 이를 회복할 가능성은 있는가? 루소는 그 가능성을 에밀과 자기 자신에게서 발견했다. 자신은 자연과 고독을 통해 그리고 에밀은 교육을 통해(8장) 본성을 회복할 수 있었다는 것이다. 루소의 경우부터 살펴보자.

1 • 자연

'자연'

사실 타락한 사회의 영향에서 벗어나려면 자연으로 들어가는 것이 가장 쉽게 떠오르는 방안이다. 여기서 등장하는 개념이 바로 '자연'인데, 자연이란 말은 흔히 실제 자연세계를 가리키지만 또한 존재의 본질이라는 의미로도 사용되며 루소도 두 가지 의미를 모두 사용하였다.

그런데 전자, 즉 실제 자연세계는 인간 존재의 본질, 즉 참자아를 회복하는데 필요한 것이었다. 우선 사회 또는 도시와 대비되는 실제 자연세계는 일종의 매개체로서 중요했다. 루소는 자신이 사람들과 더 이상의 대화를 포기했음에도 불구하고 자기 스스로에게 온전히 집중할 수 없다고 했는데 그 이유는 '외향적인 내 영혼이 내 의지와는 달리 다른 존재들을 향해 감정과 존재를 확장하려고 하기 때문'이라고 하였다.[66]

이처럼 혼자 있어도 자꾸만 다른 존재들로 향하는 마음을 붙들어 놓기 위해서는 우선 마음을 덜 어지럽히는 어떤 대상에 관심을 돌릴 필요가 있다. 이 때 자연은 일종의 '애정의 대리물' 역할을 하게 된다. 루소는 "조화의 아름다움과 매력적인 생명력으로 인간의 눈과 마음을 사로잡는 자연과 동화되면 형언할 수 없는 황홀과 도취를 느낀다"고 하였다.[67] 이처럼 실제 자연은 몰입하여 일체화할 수 있는 대상으로, 만약 그렇지 않았다면 타인에게로 뻗어나갔을 영혼의 외향성을 억제하는 기능을 한다.

『신엘로이즈』에는 자연의 매력에 대한 묘사가 자주 나오는데 무엇보다 깨끗하고 맑은 자연을 접하면 영혼은 순화되어 평온하고 부드러워진다. "바로 그곳에서 나는 내 기분을 바꾸어주고 오래전에 잃었던 내적 평화를 되돌려준 참된 원인이 깨끗한 공기 속에 있다는 것을 분명하게 알았습니다... 지나치게 강렬한 욕망은 모두 무디어지고... 마음속에는 가볍고 부드러운 감정만이 남을 뿐입니다."[68] 영혼에 만족을 주어 날카로운 정념을 누그러뜨리는 자연의 힘은 에고를 잠시 잊게 하는 진정제인 것이다.

그런가하면 자연은 다채로운 아름다움과 놀라운 풍경으로 몰입시킴으로써 에고를 망각하게 만들기도 한다. "자기 주위에 아주 새로운 사물들, 낯선 새들, 기묘하고도 생소한 식물들만 보이는 기쁨... 그 광경에는 정신과 감각을 홀리는 마법적인 데가 있어요. 사람들은 심지어 자기 자신도 망각하고 어디 있는지조차도 더 이상 알 수 없게 됩니다."[69]

이러한 자연 속에서 인간의 내면이 자연의 질서와의 결합을 꿈

꾸며 행복을 느끼는 것은 당연하다. 그 느낌은 예컨대 루소가 시골을 산책하거나 호수에 떠다니는 작은 배에 누워 있을 때 일어났다. 온 자연이 하나로 통일되어 그의 내면의 자아로 모여드는 것 같은 느낌은 바로 자연과 하나가 되는 느낌이었다.

이처럼 루소의 작품에서는 자연과 하나가 됨으로써 이기심을 극복하는 모습이 상세하게 묘사되었다. 이기심이란 내가 타인이나 사물과 분리된 별개의 자아라는 마음에서 비롯되기 때문이다. 그는 생피에르 섬에 유배되어 대부분의 시간을 고독하게 보내면서 자연과의 내밀하고 순수한 교감의 즐거움을 발견한다.[70] 종종 그의 교감은 식물채집에 몰두할 때처럼 특정 사물에 집중하기도 하고 아무 생각 없이 자연 속에 머물면서 기쁨을 맛보기도 한다. 이 때 자아는 자기보다 더 큰 어떤 것 속으로 소멸하거나 그것과 결합을 달성한다. "나는 존재의 체계 속으로 섞여 들어가고 전체 자연과 나 자신을 하나가 되게 할 때 희열을 느낀다."[71] 이처럼 자연과 동화되면서 자연과 나의 경계가 소멸되고 다른 사람들에 대한 의식도 사라지는 경험을 하게 된다.

이와 같이 자연과의 결합이 수월하게 이루어지는 것은 인간이 가진 생명애 때문일 수 있다. 로먼에 의하면 자연의 속성 중 인간 영혼의 행복과 긴밀하게 연결되는 것은 바로 생명이다. 인간에게는 천성적으로 생명과 비슷한 것에 관심을 가지는 성향이 있기 때문이다. "마음이 불안하거나 스트레스를 받을 때 잎이 무성한 숲

길을 말없이 걷기만 해도 어느 정도 진정되고 새가 지저귀는 소리를 듣고 봄에 처음 돋아난 새싹을 보는 것도 일종의 원기 회복제 같은 역할을 한다."[72] 현대인이 늘 상 도시를 탈출하여 자연으로 가는 꿈을 꾸는 이유도 거기에 있을 것이다.

그럼에도 불구하고 현대인은 진정으로 자연에 가까이 가지 못한다. 현대인에게 자연은 미디어 등을 통해 엿보는 대상이지 함께할 동반자는 아닌 것이다. 그것은 루소가 살던 18세기에도 다르지 않았다. "도시 사람들은 전원을 사랑할 줄도 모르고 전원에서 살아갈 줄도 몰라요... 파리의 주민들은 전원에 간다고 믿지만, 실은 거기에 가는 것이 아니고 파리를 옮겨갑니다. 가수, 재사, 작가, 식객들이 그들을 따르는 수행원이 되지요. 도박, 음악, 희극은 전원에서 그들이 하는 유일한 일이고요."[73] 그가 본 근대인들은 삶의 방식을 한 가지밖에 몰랐기 때문에 자연에서도 도시 생활의 습관을 고수함으로써 자신들에게 일어날 수 있는 소중한 변화를 피했던 것이다.

그런데 앞에서 본 것처럼 자연에 몰입하거나 자연을 느끼는 건 단지 주의를 돌리거나 '애정을 대리하는' 차원에 그치는 것이 아니다. 그것은 자연 속에서 다른 생명체들과 함께 존재한다고 느끼는 것, 즉 자신을 자연의 일부로 생각하는 것이다. 그리고 이러한 일체감, 즉 내가 자연과 하나라는 의식은 에고가 가장 싫어하는 것이다. 왜냐하면 에고는 분리와 비교를 자양분으로 삼기 때문이다.

에고를 탈피하지 못한 우리는 흔히 자연을 접하는 순간 그 일부가 되어 충분히 느끼기보다는 곧바로 자연에 대한 평가자로 나선다. 그리하여 '자연이 아름답다' 혹은 '엄마 품처럼 포근하다' 등과 같이 느낌을 말로 표현함으로써 자연을 하나의 대상화하여 관찰자인 나와 분리시키는 것이다. 말하자면 서둘러 언어화함으로서 우리는 자연의 일부임을 가슴으로 느끼고 깨달을 기회를 스스로 포기하는 것이다. 물론 자연을 보는 순간 느낌도 평가도 없이 바로 폰에 담기만 하는 것보다는 낫다고 하겠지만.

본성

자연이란 말의 두 번째 의미는 인위적인 것의 반대, 즉 '그냥 그대로 있는 것'을 가리킨다. 우리가 산과 들, 나무와 짐승을 자연이라 부르는 것은 그것들이 인위적으로 변화되거나 왜곡되지 않았기 때문에 그러하다.[74] 따라서 인간에게 자연이란 인간 존재에서 변질 혹은 왜곡되지 않고 본래 상태로 존재하는 것, 즉 본성 혹은 진면목을 가리킨다. 그건 마치 타고난 본래의 성품을 계속 유지한 사람을 '자연스럽다'고 하거나 본래의 얼굴에 인위적 손질을 가하지 않은 사람을 '자연 미인'이라고 하는 것과 같다. 루소가 고백록에서 "나는 사람들에게 한 인간을 완전히 자연 그대로의 모습으로 보여주려고 하는데, 그 인간은 바로 내가 될 것이다"라고 했을 때의 자연도 자기 본성을 의미한 것이었다.[75] 그렇다면 루소가 늘 강조한 본성의 의미는 무엇인가?

루소는 변질된 마음인 에고에 대항하여 본래의 마음인 본성을 신뢰한다고 하였는데, 문제는 그가 인간 본성에 대해 분명하게 정의하지 않았다는 점이다. 그는 본성의 특징이나 속성에 관해 설명했으며 본성과 반대되는 에고에 대해서는 상세히 서술했지만 본성 자체를 규정하지는 않았다. 그런데 루소뿐 아니라 다른 저자들에게서도 본성의 개념을 규정한 경우를 보기 어렵다. 마치 노장사상에서 궁극의 진리인 도를 언어로 표현할 수 없다고 하는 것처럼 인간 존재의 근원인 본성 역시 용어나 개념의 테두리 속에 넣을 수 없는 것인가 하는 생각이 들기도 한다.

그럼에도 관련 서적들을 뒤져보다 한 심리상담사가 쓴 책을 통해 궁금증이 조금 풀렸는데 그는 본성을 '텅 빈 마음'이라고 정의한 것이다.[76] 텅 비었다는 건 무엇보다 그 안에 어떤 특정한 마음, 특히 에고의 특징인 욕망과 정념이 없는 상태를 말함과 동시에 내용이 없으므로 경계나 울타리가 없는 마음의 상태인 것이다. 마치 아무 것도 없이 텅 빈 집에는 울타리를 두르거나 문을 잠글 필요가 없는 것과 같다. 요컨대 본성이란 내용과 경계가 없는 마음인 것이다.

본성에 내용이 없다는 건 어떤 특정한 마음의 내용이 가해지지 않은 채 스스로 그냥 있는 것이란 뜻이다. 설사 본성에 우리가 모르는 어떤 것이 있다하더라도 그것은 사실상 없는 것과 마찬가지인데, 왜냐하면 어떤 존재가 식별되려면 그것은 다른 존재와 구별되어야 하기 때문이다. 그런데 본성, 즉 인간 본연의 존재가 자연 속에서 경계나 울타리가 없이 다른 존재들과 섞여있다면 그것은 식별이 불가능하다. 이름도 없이 그냥 다른 사물이나 인간들과 혼재되어 있는데 어떻게 따로 규정할 수 있겠는가? 이는 마치 노장 사상에서 자연계의 개별 존재는 '무'로 표현될 수밖에 없다고 하는 것과 같은 이치이다.[77] 그러므로 본성을 이해한다는 건 '무'로서의 자신을 이해한다는 것이며 내가 다른 존재와 별도의 존재라는 생각, 즉 자의식으로서의 에고를 극복하는 것이다. 사실 에고 자체가 나와 너를 분리하는 생각이므로 분리의식, 즉 자의식을 버리면 에고는 사라지고 본성이 모습을 드러낸다.

루소는 인간 본성의 특징은 선이라고 하였다. 자연의 최초의 움직임은 언제나 올바르기 때문에 인간 본래의 품성에 악이란 없다는 것이다.[78] 실제로 루소는 인간 본성의 선함을 자기 작품들을 관통하는 기본 원리로 삼았다. "저의 모든 글에서 논증의 기초가 된 모든 도덕의 기본 원리는 인간은 천성적으로 선하기에 정의와 질서를 사랑한다는 것, 그리고 본성의 최초 움직임은 언제나 올바르다는 것입니다."[79]

따라서 그는 현재 인간의 마음에 악이 있다면 그것은 본래 선한 자기애가 변질된 것이라고 하였다. 그가 『인간 불평등 기원론』에서 묘사한 자연인의 자기애는 자기 자신에게 국한된 것으로서 타인에 대해서는 미워하지도 좋아하지도 않는 것이었다.[80] 루소는 본성의 속성을 선한 자기애로 규정함으로써 타인을 우선적으로 의식하는 에고와 구별한 것이다.

그는 나아가 본성의 선함이 도덕 법칙보다 더 확고하다고 하였는데,[81] 그에 따르면 인간은 굳이 의무감에서 도덕적 행동을 하려 하지 않아도 본성, 즉 내면의 소리를 따름으로써 충분히 선한 삶을 누릴 수 있다는 것이다. 바꿔 말해 인간이 악을 행하지 않기 위해서는 본성을 안내자로 삼으면 되는 것이다. 본성은, 비록 항상 올바른 길로 인도하지는 않는다 하더라도, 나쁜 길, 즉 덕과 반대되는 행동으로 이끄는 일은 거의 없기 때문이라는 것이다.[82]

2 • 고독

잠시 논의가 본성의 정의로 옮겨갔지만 우리는 앞에서 본성을 회복하는 방안의 하나로서 자연을 살펴보던 참이었다. 그런데 내가 만약 도시를 떠날 수 없고 문명을 등질 수 없다면, 다시 말해 자연으로 들어갈 수 없다면 에고의 극복과 본성의 회복은 포기해야 하는 것일까?

자연과 함께 루소가 제시한 또 하나의 방안은 고독이다. 본성에 접근하기 위해서는 세상의 소음으로부터 차단되어 자기 존재에 전념해야 하는데 루소는 이런 과정이 고독 속에서 가장 잘 이루어진다고 본 것이다. 사실 자연과 고독은 서로 겹친다. 자연을 벗하면 굳이 사람이 필요 없고 고독을 찾으려면 자연으로 가는 게 가장 쉽다. 하지만 고독이 더 범위가 넓다. 고독은 자연에서는 물론 사회에서도 가능하기 때문이다.

우선 루소는 자기가 사랑했던 두트토 부인에게 내면에 침잠하여 본성을 회복하기 위해서는 고독이 적합하다고 권했다. 이 때 그가 의미한 고독이란 꼭 어떤 은둔 공간을 찾는 것이 아니라 사람들의 영향으로부터 벗어나 자기 내면으로 깊이 들어가는 것이었다. "저는 당신을 수도원으로 쫓아 보냄으로써 사교계의 여인에게 은둔생활을 강요할 의향은 없습니다. 문제의 이 고독은 당신의 영혼을 군중 속에서 끌어내, 외부 정념들이 그 영혼에 접근하는 것을 막는 것입니다."[83]

여기서 루소가 권한 것은 그 용어만 쓰지 않았을 뿐 사실상 명상이었다. "당신의 눈과 귀를 아직 닫을 필요는 없고 먼저 상상력을 억제함으로서 당신의 주의를 빼앗아갈 대상들을 물리치세요. 그것들이 앞에 있어도 당신의 주의를 더 이상 빼앗아가지 않을 때까지 말입니다. 그렇게 되면 그것들 사이에서 계속 사세요. 필요할 때마다 그것들 사이에서도 당신 자신을 되찾을 수 있을 것입니다."[84] 요컨대 '고독'은 마음의 집착이나 상상이 없음은 물론 눈앞의 사물이나 사람에게도 주의를 빼앗기지 않는 것이다. 그렇게 하면 사람들 사이에서도 자기 자신을 잃지 않을 것이다.

그러나 군중 속의 고독이 쉬운 일은 아니므로 루소는 일단 두드토 부인에게 혼자 자연 속에 떨어져 지내볼 것을 권했다. "예를 들어 매달 이삼일 간 짬을 내서 혼자 지내보세요. 처음에는 당연히 무척 지루할 것입니다. 그 시간을 파리보다는 시골에서 보내는 것이 더 낫습니다. 도시에서 혼자 있는 것은 항상 우울합니다. 사교계를 떠나게 되면 자기가 자기 자리에 있지 않다고 느끼며, 혼자 있는 방은 마치 감옥처럼 보입니다. 시골에서는 정반대입니다. 그곳의 사물들은 아름다워서, 그것들을 바라보고 있으면 즐겁습니다. 눈이 오직 자연의 아름다운 경관에 사로잡혀 있으면 우리 마음에 자연이 더 잘 다가옵니다".[85]

나아가 루소는 일종의 무위 상태를 권하는데, 그것은 영혼이 낯선 것을 끌어들이지 않도록 하기 위함이다. "그런 상태에서 무엇을 하느냐고요? 아무 것도 하지 마세요. 그 불안이 자연스러워지도록 내버려두세요. 고독한 상태에서는 그 불안에도 불구하고 곧 자기 자신에게 몰두하게 될 것입니다."[86] 늘 무언가를 하지 않으면 불안해지는 문명인은 무위 상태의 불안을 견뎌야 하는데 왜냐하면 그것이야말로 자기 자신에게 몰입하는 필수 단계이기 때문이다.

또한 전원생활은 단순 소박해야 한다. 그리하여 루소는 두드토 부인에게 전원생활에 하인들을 데리고 가지 말 것이며 자연의 리듬을 따라 일찍 자고 일찍 일어날 것을 권했다. "화장도 하지 말고 독서도 하지 마세요. 식사도 사람들이 하는 시간에 소박하게 하세요. 요컨대 모든 면에서 시골 부인이 되세요."[87] 그래야만 내면에의 몰입이 가능해지기 때문이다.

뒤에서 보겠지만 루소가 무조건 고독을 찬양한 건 아니다. 하지만 본래의 품성을 되찾기 위해 고독이 필요한 건 사실이다. 『신엘로이즈』에서 쥘리는 말한다. "모든 위대한 정열은 고독 속에서 형성되지요. 어떤 대상도 깊은 인상을 줄 틈이 없고 또 수많은 취향이 있어 감정의 힘이 약해지는 사교계에는 그와 같은 정열이 있을 수 없답니다."[88] 본래의 존재를 추구하려면 강한 에너지로 내적 탐구에 나서야 하는데 사람들과 부대끼는 생활에서는 잡다한 자극에 마음이 분산되고 에너지도 약화된다. 반대로 고독 속에서는 이기심이 사라지는데 왜냐하면 그 자양분이 끊기기 때문이다.[89]

루소 자신은 두 가지 고독의 형태를 병행했는데 시골에서 은둔생활을 하는 것이 그 하나였고 다른 하나는 파리 시내에서 은둔자처럼 사는 것이었다. 그의 도시 생활은 시골에서와 별반 다를 바 없었다. "그(루소)는 여러 해 동안 시골에서 영위하던 고독한 생활을 파리에서 다시 시작했어요. 그는 생계를 꾸려나가는 일상적인 활동과 유일한 기분 전환인 전원 산책으로 시간을 보냈지요."[90] 그것은 파리라는 대도시 안에서 일상적 삶을 영위하되 사람들과의 사교적 접촉을 극도로 제한하는 것이었다. 따라서 그는 사전 약속 없이 들르는 방문객들을 피하기 위해 자신의 방에 뒷문으로 통하는 비밀 통로를 만들어 놓고 대피하곤 하였다. "그(루소)는 파리 한 가운데 있으면서도 섬에 있는 로빈슨 크루소보다 더 고독했고… 사람들과의 교제가 차단되어 있었습니다."[91]

그러나 그에게 고독은 그 자체가 목적이기보다 외부와 차단하고 자신에게 집중하기 위한 하나의 방편일 따름이었다. 따라서 만약 타인과 함께 하면서도 자기 자신으로 존재할 수 있다면 그것이 더 나은 삶이었다. 루소가 레 샤르메트에서 바랑부인과 단 둘이 보낸 날들을 자기 삶의 가장 행복했던 시절로 회상한 것도 그 때문이다. "내가 완전히 나 자신이었고... 친절하고 다정한 여인에게 사랑을 받았던 내 인생의 유일한 그 짧은 세월 동안 나는 내가 원하는 것을 했고 내가 원하던 존재가 되었다."[92] 꼭 혼자가 아니라도 마치 혼자인 것처럼 자신이 좋아하는 것을 하고 자기 존재의 주인이 될 수 있다면 외롭지 않으면서도 고독이 주는 이점을 누릴 수 있는 것이다.

그럼에도 불구하고 루소는 생의 많은 부분을 홀로 지낼 수밖에 없었다. 왜냐하면 그는 사람들 사이에서 편치 않았기 때문이다. "나는 혼자 있을 때만 나 자신의 것이고, 그렇지 않을 때는 내 주변 모든 사람들의 노리개가 된다. 내가 고독을 사랑한다고 해서 그것이 놀랄 일인가? 사람들의 얼굴에서는 원한 밖에 보이지 않는 반면 자연은 언제나 내게 미소를 보낸다."[93]

여기서 잠깐 루소가 사회생활 혹은 사교계 생활을 어떻게 겪었는지 살펴보자. 한 마디로 그는 거의 적응하지 못했는데 이유는 그가 소문처럼 퉁명스럽거나 악의에 찬 사람이어서가 아니라 기질상 사교계의 형식적이고 무의미한 예의범절을 참을 수 없었기 때문이다. "지켜야 할 사소한 의무들 때문에 그에게 사회는 견딜 수 없는 것이었죠. 세상 사람들의 도덕은 사소한 형식, 예의범절의 절차로 변형되었고, 나머지는 무시되고 있거든요... J(루소)는 그런 것들을 등한시함으로서 당신네 신사 분들이 악용할 수 있는 구실을 제공했어요. 무가치하고 사소한 절차를 무시한 것이 그의 파멸을 초래한 거예요."[94] 이 책의 서두에서 말한 루소가 느꼈던 사회적 속박, 그것은 관념이 아니라 그의 실제 체험이었다.

이러한 인간관계의 요구들은 루소를 극도로 위축시켰다. "나는 이 예의바른 사람들 모두에게 신세를 졌다. 그러나 꼬박꼬박 편지를 쓰기란 언제나 내 힘에 겨운 일이었다. 내가 편지쓰기를 소홀히 하자마자 내 잘못을 바로잡는다는 부끄러움과 당황함으로 인해 잘못을 더욱 무겁게 느끼게 되어 더 이상 편지는 전혀 쓰지 못했다."[95] 그 마음을 알 것 같다. 소심한 사람은 조금만 머뭇거리다 보면 평범한 감사인사도 세상에서 가장 어려운 일이 되어버린다.

결국 마흔 살을 기점으로 출세와 명성에 대한 기대를 접기로 한 루소는 그 때부터 사람들의 시선을 의식하지 않고 하루하루를 살면서 남은 삶을 보내기로 결심했다. 그는 세속적 성공을 포기했다는 상징으로 옷을 소박하게 입기 시작했고 장신구도 버렸다. 그리고 다른 모든 직업을 거절하고 악보를 베끼면서 검소한 삶을 살기로 결심했다. "나는 내 뜻과는 상관없이 보호자처럼 구는 친구들에게 싫증을 느껴, 이제부터는 단순한 호의관계만으로 만족하기로 결심했다. 나는 이것이야말로 소란과 불화와 번거로움으로부터 멀리 떨어져 고요 속에서 여생을 보내기에 적당한 생활방식임을 느꼈다."[96]

다시 고독으로 돌아와서, 자연과 고독은 이기심을 극복하는데 필수적이다. 사회생활을 하면서 에고가 작용하지 않기를 기대하는 건 어렵기 때문이다. 하지만 현실에서 고독을 선택할 수 있는 경우는 극소수다. 루소 자신도 어쩔 수 없이 그 안으로 밀어 넣어졌다. 그는 당국의 박해를 받고 지인들에게 따돌림을 당해 더 이상 사회생활이 불가능해진 것이다. 반면 자발적으로 고독을 선택하려면 사회적 정념에 저항할 수 있어야 하는데 그것은 보통 사람의 힘을 넘어서는 것이다. 사람들은 종교집단, 사교집단 등 여러 집단에 속해 왔고 그로부터 지지를 받아왔다. 그런데 거기서 벗어나 홀로 있게 된다면 어디에 마음을 의지할 것인가? 이 외로운 상태를 감내할 사람은 많지 않다.

따라서 루소가 자연으로 돌아가라고 했다면 그것은 꼭 사회와 문명을 등지란 뜻이 아니었다. 그 참 뜻은 오히려 문명 속의 자연 혹은 사회 속의 자유를 추구하는 것으로 비록 '사회의 소용돌이 속에 갇혀 있다 하더라도 그곳에서 정념이나 사람들의 평판에 휩쓸리지 않고' 스스로 판단하고 행동하는 것이라고 그는 밝혔다.[97] 한마디로 '사회 속의 자연인'으로 사는 것이다. 오쇼는 그에 대해 '세상 속으로 나아가되 세상의 일부가 되지는 않는 것이며, 세상 속에서 살아가되 세상이 내 안에서 살아가게 하지 않는 것'이라고 말하였다.[98]

실제로 루소는 '사회 속의 자연인'이 되고자 했다. 그는 자신을, '세상 사람들의 평가나 시선을 고려하지 않고 오직 자신의 성향과 이성에 따라 사는 사람'이라고 하면서 스스로 '자연인'이라고 칭했다.[99] 말하자면 그는 에고로부터 벗어날 수 있었기에 인간의 최초의 특징을 자기 마음속에서 발견할 수 있었다는 것이다. "내가 아는 사람들 중에서 오직 자기 기질에서 유래하는 성격을 갖고 있는 사람이 바로 J(루소)입니다. 그는 자연이 만든 그대로예요."[100] 그는 스스로 본성에 따른 삶을 살고 있다고 자부한 것이다.

1) 몽상

그렇다면 루소는 어떻게 소위 '사회 속의 자연인'이 될 수 있었을까? 그는 몽상 그리고 자기개혁을 통해 그것이 가능하다고 하였다. 우선 몽상은 무엇보다 자기 내면으로 들어가는 일로서 자연에 몰입하는 것 못지않게 효과적인 방안이 될 수 있었다. 실제로 사람들과의 만남 혹은 대중의 시선에 구속과 환멸을 느낀 루소는 타인이 침투할 수 없는 자기 내면에 전념하는 데서 자유와 즐거움을 찾고자 했다. "내 영혼과 대화를 나누는 달콤한 즐거움에 온전히 몰두하자. 그것만이 사람들이 내게서 빼앗아갈 수 없는 유일한 것이니까."[101] 몽상을 영혼과의 대화로 규정했던 루소에게 영혼은 다름 아닌 에고가 가리고 있던 본성을 말하는 것이다.

그렇다면 영혼과의 대화는 어떻게 이루어지는가? 루소는 그것을 잠들어 있던 영혼을 깨우는 일이라고 하였다. "오랜 무위 속에서 무뎌진 영혼도 적절한 활동을 통해 부드러운 온기가 전해지면 다시 깨어납니다. 그러므로 영혼에 그 영혼을 유쾌하게 했던 감정과 기억들을 상기시킬 필요가 있습니다."[102] 마치 얼었던 몸에 불을 쬠으로써 생기를 되찾는 것처럼 부드럽고 유쾌한 몽상을 통해 영혼을 일깨우는 것이다.

영혼을 즐겁게 했던 유쾌한 기억이라면 예컨대 자신이 실행한 미덕을 떠올리는 것도 좋은 방법이다. 혼자 있을수록 자기 자신과 벗해야 하는데 스스로를 선한 존재로 여길 수 있어야 자기를 사랑하게 되고 자신과 벗할 수 있다. 이것이 혼자 있어도 행복해지는 비결이다. 따라서 루소는 두드토 부인에게 늘 선행을 할 것을 당부했다.[103]

그러나 루소가 자주 한 몽상의 형태는 몇몇 가까운 사람들과의 교제의 즐거움을 회상하는 것이었다. 유쾌한 지인들과 함께 즐거운 시간을 보내는 건 루소가 평소에도 그리워하던 것으로 그로 하여금 현실의 쓰라림을 잊고 기쁨과 행복 속으로 빠져들게 하는 것이었다. 루소는 즐거운 기억이 꼭 실제로 일어난 일일 필요는 없다고 하였다. 오히려 몽상의 장점은 즐겁고 행복한 요소들만 회상하는 것이 가능하다는 점이며 그것이 사실인지 여부는 중요치 않다는 것이다.

루소는 몽상에 대한 예찬을 이어간다. "오, 자연이여! 불운한 자의 재산이여! 사람들의 모든 음모와 악인들의 성공에도 불구하고 그는 완전히 비참하지 않아요. 행복한 상상이 그에게 현실의 행복을 대신해줍니다. 이 땅의 자산은 매 순간 수많은 방식으로 빠져나갈 수 있지만 상상력의 자산은 그것을 즐길 줄 아는 사람에게서 절대 빼앗을 수 없는 것이니까요."[104] 이것도 일종의 명상이라고 할 수 있지 않을까? 명상은 주로 고통스런 정념을 소멸시키는데 역점을 둔다면 루소는 즐거운 몽상을 하는 것이 다를 뿐 둘 다 자신을 괴롭히는 에고로부터 벗어나 본성을 일깨우고자 하는 건 마찬가지다. 실제로 루소는 '그 고독한 명상의 시간은 오롯이 나 자신으로 돌아가는 유일한 시간, 즉 본성이 원한 것이 무엇인지를 확실히 말할 수 있는 시간'이 되는 것이라고 함으로써[105] 명상과 몽상을 굳이 구분하고자 하지 않았다.

루소에 따르면 유쾌한 몽상은 특히 현실이 고통스러울 때 더 빛을 발한다. "정말 이상한 일은 내 상상력이 가장 유쾌하게 용솟음칠 때는 내 처지가 가장 고통스러울 때라는 것이다. 내가 봄을 그리고 싶다면 겨울이어야 한다. 아름다운 경치를 묘사하고 싶다면 나는 벽에 둘러싸여 있어야 한다. 내가 바스티유 감옥에 갇히게 되면 나는 거기서 자유의 그림을 그릴 것이다."[106] 한마디로 몽상은 고통 속에서 자유와 행복을 찾는 방법이다. 그 점에서도 에고를 극복하는 시도의 하나라 할 수 있는데, 고통은 에고의 자양분이기 때문이다.

그러나 몽상을 통해 현실의 고통을 잊는 것은 하나의 방편일 뿐

근본적인 처방은 아니다. 현실의 삶을 뒤로 하고 가끔 교외로 나가 바람을 쐬는 격이랄까. 근본 처방이라면 내 현실의 삶을 바꾸는 것, 즉 '자기개혁'과 비슷한 어떤 것이다.

2) 자기개혁

에고를 소멸시키고 참자아를 찾는 근본 방안으로 루소가 시도한 것은 우선 자기 몸치장부터 개혁한 것이었다. '프랑쾨유씨는 사람들에게 가서 내가 미쳤다고 지껄여댔다. 나는 그런 말에 흔들리지 않고 내 길을 갔다… 금박 장식물과 흰색 긴 양말을 버리고, 가발도 둥근 것으로 하고 칼을 풀었다. 시계를 팔면서 나는 엄청난 기쁨을 갖고…'[107] 몸치장은 남의 시선을 의식한 것이므로 그로부터 자유로워지는 것은 앞에서 본 타인이라는 장애물에서 벗어나는 것이었다.

그의 각오에 대한 진정한 시험대는 자신의 오페라 작품을 왕궁에서 공연하는 날이었다. "그날, 나는 수염은 텁수룩했고 가발은 변변히 빗질도 하지 않은 채 평상시와 똑같이 아무렇게나 차려입었다. 나는 이러한 결례를 용감한 행위라고 생각하고, 잠시 후에 왕과 왕비와 왕족들을 비롯한 만조백관들이 오기로 되어 있는 홀에 이런 모습으로 들어갔다… 불이 켜지자 모두 화려하게 성장을 한 사람들 틈에서 나만 이런 차림으로 있는 꼴을 보고는 마음이 불편해지기 시작했다... 하지만 나는 속으로 말했다... 내가 만약 어떤 일에서 다시 굴종하기 시작한다면, 나는 곧 모든 일에서 또 다시 예속 상태에 빠지게 된다. 항상 나 자신이기 위해서는 어떤 장소에서든 내가 선택한 생활방식에 따라 옷을 입는 것을 부끄러워해서는 안 된다. 사람들은 나를 우스꽝스럽고 무례하다고 생각할 것이다. 아니, 그런 것이 무슨 상관이냐! 내가 조롱이나 비난을 받을 이유가 없는 이상 그런 것쯤은 참고 견딜 줄 알아야 한다."[108]

이처럼 루소는 세상 사람들의 판단에 얽매여 혹은 비난이 두려워 선하고 올바른 것을 회피하게 만드는 마음을 뿌리 뽑으려 애썼다. 그는 '내 영혼의 모든 힘을 세상 여론의 족쇄를 부수는 데 썼다'고 하였는데[109] 사실 그것은 부수기 어려운 족쇄였고 그것을 부수려고 하는 사람은 사회로부터 추방당하기 일쑤였다.

그러나 그는 사람들의 의견이나 음해는 자기 존재에 타격을 주지 못한다고 하였다. 존재의 본질은 내면에 있으므로 바깥에서 변질시키거나 훼손시킬 수 없다는 것이다. 그는 나아가 사후의 평판도 의미 없다고 보았다. "덧없는 여론을 알아봤자 내 영혼의 평화와 마음의 안식을 해치게 될 뿐이지 않는가?... 그들이 나에 대해 다음 세대를 기만하고 속인다 해도 그 또한 무슨 상관이 있는가? 그때 나는 없을 터이니 그들의 잘못에 희생되지도 않을 것이다."[110]

루소가 '자기개혁'의 진정성을 가장 잘 드러낸 예는 앞에서도 언급한 바 있는 왕의 호의를 거절한 사건이었다. 그의 오페라 작품 〈마을의 점쟁이〉가 퐁텐블로 궁에서 공연된 다음날 루소는 프랑스 국왕 루이 15세를 알현하는 자리에 초대되었는데 그 자리에서 왕이 연금을 수여할 것이라는 강력한 언질이 있었다. 그러나 루소는 초대를 받아들이지 않고 다음날 아침 일찍 파리로 돌아갔다. 이러한 태도는 권력에 흡수되는 것을 거부하는 독립성을 의미했다. 루소는 자신의 좌우명 제 1조는 '그가 누구든 누구에게도 명령하지 않고 누구의 명령도 받지 않는 것'이라고 하였다.[111]

실제로 루소는 타인에게 의존하거나 신세지는 것에 대해 거부감을 드러냈다. 그는 사람들에게 어떤 것도 요구하지 않으며 의존하고 싶지도 않다고 하였다. 루소는 부유한 숭배자들이 자신에게 거처를 제공했을 때 항상 어떤 식으로든 집세를 지불하면서 받아들였다. 하지만 선물에 대해서는 처음부터 야박하다 싶을 정도로 확실하게 거부해 종속상태를 미리 차단하고자 했다. 그는 신분이 높고 부유한 사람과 교제관계를 맺기도 했지만 단호하게 '나는 고관대작을 증오하고 그들의 높은 지위와 그들의 냉혹함과 그들의 편견과 그들의 모든 악덕을 증오하며...'라고 말했다.[112]

루소는 속박과 굴종을 참지 못하는 자신의 성격이 어린 시절의 독서 및 부친과의 대화를 통해 형성되었다고 하였다. 그는 스스로를 자기가 읽은 전기의 인물들, 즉 공화주의적 그리스나 로마 공화국의 인물로 여겼는데 '이러한 기질과 성격은 그것을 마음껏 발휘하기에 가장 부적절한 처지에 놓여 있는 나를 평생 동안 괴롭혔다'고 하였다.[113] 자유를 누리기에 가장 유리한 사람은 자유가 절실하지 않고 가장 불리한 사람은 자유를 갈망하는 아이러니! 이래저래 자유인이 드문 까닭이다.

운명

그런데 자기개혁이란 외모나 인간관계를 바꾸는 것만은 아니다. 그것은 또한 자기 내면의 깨달음을 추구하는 것으로서, 루소는 그것을 '나 자신과 함께 한다'라고 표현하였다.[114] 이 표현은 하나 이상의 의미를 담고 있다. 우선 자신과 함께 한다는 건 자신의 현재 위치를 인정하고 받아들이는 것이고(운명에 순종), 자기 존재로부터 만족을 느끼며 그것을 극대화하는 것이자(존재감의 제고) 또한 무엇보다 현재 자신의 조건과 일에 전념하는 것이며(현존함의 의식) 나아가 자신의 감각과 느낌에 충실한 것이다(감각과 느낌). 이들을 차례로 살펴보자.

우선 운명에 순종한다는 건, 루소의 말대로 '자연이 존재의 사슬 속에 지정해 준 나의 자리'에 머무는 것이다. 말하자면 내 자리를 벗어나거나 확장하려 하는 대신 주어진 자리에서 내 본연의 존재를 보존하는데 힘을 쓰는 것이다. 그에 따르면 '나의 자유란 자연이 부여한 힘을 발휘하여 나를 보존하는 것이지 내 존재를 확장하여 남들을 지배하거나 영향을 미치는데 있지 않기 때문'인 것이다.[115]

따라서 '자연 속의 내 자리'에 머물고자 하는 사람에게 중요한 것은 운명이나 자연의 섭리에 저항하지 않는 태도이다. 자기 힘으로 어쩔 수 없는 필연이나 운명에 순응하는 것, 이것은 존재의 한계를 깨닫는 일이자 자유의 요체이기도 하다.

루소가 『에밀』에서 말한 것처럼 모든 인간에게 예외 없이 분명한 사실은 고통, 불행, 사고, 생명의 위험 그리고 죽음에서 벗어날 수 없다는 것이다.[116] 이처럼 고통이 인간에게 피할 수 없는 운명이라면 고통에 저항하는 것은 어쩔 수 없는 고통에다 저항하는 고통을 공연히 덧붙이는 것이다. 루소는 운명에 순종하는 건 수동적인 태도가 아니라고 하였다. 이는 무기력한 것이 아니라 집착으로부터 자유로운 태도인 반면 운명에 저항하면 할수록 그 힘에 예속될 따름이다. 에밀은 말한다. "스승이신 당신은 저에게 필연을 따르도록 가르쳐 주어서 자유롭게 만들어주었습니다. 저는 그것이 언제 오든 필연에 저항하고 싶은 마음이 없으며 저를 지탱하기 위해 어떤 것도 붙들지 않습니다."[117] 실제로 『에밀과 소피』에서 에밀은 노예로 팔려가는 상황에서도 이 가르침을 떠올리며 고통을 견뎌내는 모습을 보여준다.

자기 자리를 지키면서 운명에 순종하는 것, 이것은 본성을 깨달는 데에도 필요한 태도이다. 오쇼에 의하면 깨달음이란 단지 '나는 본성 외에 다른 어떤 것도 아니다. 나는 다른 것일 수 없다'라는 사실을 깨우치는 것이다. 그리고 본성이란 그저 있는 그대로의 모습을 가리키는 것이므로 결국 깨달음이란 지금 있는 그대로의 내 모습을 인정하고 사랑하는 것이다.[118] 따라서 누가 나에게 '인정받고 싶다면 다른 누구처럼 되라'고 한다면 그건 나를 참 자아, 즉 본성과 분리시키는 것으로서 나는 그러한 가르침을 받아들일 이유가 없다.

존재감

루소는 자기 존재에 대한 느낌이나 깨달음, 즉 존재감이 지속되는 것이야말로 행복이라고 하였다. "사람들이 외부에 대한 모든 애착을 버리고 오직 자기 자신과 자신의 존재를 즐길 따름인 그런 상태가 지속되는 한… 그 때 존재는 만족과 평화라는 귀중한 감정을 느낀다."[119] 여기서 외부에 대한 애착이란 사람들의 평가나 인정에 집착하는 것을 말한다. 루소는 "사람들이 나를 알아주고 옳다고 인정해주는 것이 도대체 나의 영원한 행복에 왜 필요하단 말인가!"라고 외쳤다.[120]

따라서 존재감을 느끼기 위해서는 우선 타인에게 쏠린 관심을 자기 내면으로 돌리는 것이 필요하다. 루소 스스로도 "이기심을 내세우게 만드는 비교와 편애를 포기함으로써 여론의 굴레에서 해방된 결과, 나는 오직 나 자신과 함께 하며 스스로에게 만족해하고 하루의 4분의 3을 보낸다. 이 모든 것에 작용하는 것은 오직 나 자신에 대한 사랑뿐으로 이기심은 발을 들여놓을 자리가 없다"라고 하였다.[121]

나아가 존재감이 지속적이고 자발적인 것이 되려면 자연, 즉 본성과 일치하는 삶을 살아야 한다. 자연 상태에서 인간의 영혼은 선하고 자유로우며 차례로 영혼이 선하고 자유로울 때 인간은 존재감 혹은 자기애를 극대화할 수 있기 때문이다. 따라서 루소에게 좋은 삶이란 자연, 즉 존재의 본질에 부합하여 사는 삶이다. 자연과 부합한다는 건 자연 상태에 지배적인 어떤 주관적 조건들, 말하자면 심리적 조화와 균형감을 회복하는 것이다. 좋은 삶은 이러한 상태, 즉 자연인의 심리적 통일과 균형에 가능한 가까이 가는 것이다. 하지만 현대인은 자연과 갈등을 빚으며 심리적 온전함, 즉 통일과 균형을 잃고 좋은 삶을 살지 못한다. 자연의 조화로운 질서를 인간 차원에서 재현하지 못하는 것이다.

현존함

존재의 본질 혹은 본성을 향하는 루소의 여정은, 비록 그가 체계적으로 제시한 것은 아니지만 내가 이해한 바에 따르면, 자연과 고독을 통하며 고독의 경로에서는 몽상과 자기개혁을 거친다. 그리고 자기개혁으로는 앞에서 본 운명과 존재감 외에 현존함의 의식 그리고 감각과 느낌에 충실함을 들 수 있다. 현존함이란 나의 의식을 오직 현재, 즉 내 눈앞에 펼쳐진 일에 국한하여 몰두하는 것이다. 루소는 현존함의 가치를 인식했다. "내 마음은 오직 현재에만 매여 있어서 그 모든 용량과 공간이 현재로 가득 차 있다. 그래서 이제는 나의 유일한 향락을 이루는 과거의 즐거움을 제외하고는, 내 마음 어느 한 구석에도 지나가버려 더 이상 존재하지 않는 것을 받아들일 빈 공간이 없다."[122] 만약 루소가 현재에 전념하지 않았다면 그의 마음은 과거에 대한 쓰라린 기억에서 벗어나기 어려웠을 것이다.

사실 현재의 자신에 전념하는 것은 삶의 지혜이기도 하다. 그것은 특히 불필요한 고통을 막아준다. 예를 들어 내가 현재 독감에 걸렸다고 치자. 나는 이미 지난주부터 발병한 감기가 나아지기는 커녕 갈수록 심해지는 데 대해 피로와 짜증을 느끼고 앞으로 다음 주 혹은 그 너머까지 낫지 않을지 모른다는 불안과 조바심을 가지게 된다. 그럼으로써 나는 병으로 인한 현재의 고통에다 과거와 미래에 대한 정신적 스트레스까지 얹어 놓는 것이다. 실제로 루소도 말했다시피 우리가 받는 육체적 고통의 느낌은 생각만큼 큰 것은 아니다. 그러나 고통의 지속을 느끼게 해주는 기억력과 고통을 미래로 연장하는 상상력을 통해 우리는 고통을 증폭시키는

것이다.[123]

만약 우리가 현재 자신이 처한 상태에만 집중한다면 어쩌면 노예 상태에서도 삶은 견딜 만한 것이 될지 모른다. 실제로 루소는 에밀을 통해 그 메시지를 전달하고 있다. 루소는 작품『에밀』에 이어『에밀과 소피』라는 후속작을 썼는데[124] 거기에서 남의 집 고용살이를 하는 처지가 되었을 뿐 아니라 결국 노예 신세가 되어 아프리카 농장으로 팔려가게 된 에밀은 오직 현재의 순간을 사는 데 전념함으로써 자신의 비참한 처지를 견뎌내는 지혜를 보여주고 있다. "희망에서 생겨나는 불안으로부터 해방되고, 또한 과거도 더는 내게 아무 것도 아니라는 것을 보면서, 나는 막 살기 시작하는 사람의 상태에 오롯이 들어가려고 노력했다. 나는 사실 우리는 단지 시작만 할 뿐이라고, 우리의 삶에서 현재 순간들의 연속 외에 다른 연결 관계는 없다고 중얼거렸다. 우리는 우리 삶의 매 순간마다 죽고 태어난다."[125] 만약 에밀이 자신을 비참한 처지가 되게 한 과거의 일을 후회하고 또 미래에 대한 초조함에 얽매여 있었다면 그는 현재 겪는 고통에 후회와 불안을 더하게 됨으로써 그의 삶은 더욱 견디기 어려웠을 것이다. 그러나 에밀은 현재에 전념할 뿐 나머지 것에 대해서는 관심이나 생각을 두지 않음으로써 현재의 고통만 자신의 모든 고통이 되도록 하였다. 그 경우 현재의 고통은 생각만큼 큰 것은 아니라는 걸 알게 될 것이다. 루소가 실제로 노예상태에서도 자유로울 줄 알고, 선량하게 행동할 줄 알았던

고대 로마의 노예 출신 철학자 에픽테토스를 찬양한 것도 그 때문이었다.[126]

실로 현재에 전념하는 건 삶의 다른 측면, 예컨대 사랑과 질투에도 적용된다. 오쇼가 말하다시피 질투란 내가 지금 사랑하는 연인이 혹시 내일 다른 사람에게 가버리지 않을까하는 두려움, 즉 미래에 대한 두려움에서 생겨난다. 그런데 두려움 때문에 오늘이 망가지면 내 연인은 진짜 다른 사람을 찾아갈 것이다.[127] 따라서 사랑도 내일을 생각하지 않아야 내일이 있다.

이처럼 과거에 집착하고 미래를 꿈꾸는 것은 현재를 혼란스럽고 불안하게 만드는 결과를 초래할 뿐이다. 그럼에도 사람들은 문제를 복잡하게 만드는 경향이 있다. 루소는 말했다. "그릇된 지혜는 우리를 끊임없이 자기 밖으로 내몰고 언제나 현재를 하찮은 것으로 여기며, 미래를 쉼 없이 쫓아 현재 우리가 있는 이곳이 아닌 다른 곳, 결국 앞으로도 우리가 있지 않을 곳으로 우리를 이끌어간다."[128] 이러한 것은 모두 에고가 좋아하는 것이다. 에고는 문제를 일으키고 그것을 해결하기 위해 노력함으로써 스스로를 먹여 살리기 때문이다. 반대로 현재에만 집중하면 다른 욕망이나 기대를 품을 수 없기 때문에 거기에 에고가 들어설 자리는 없다.

과거도 미래도 없이 오직 현재의 순간만이 존재하는 상태는 종종 사람이 다른 모든 것을 잊어버릴 정도로 압도적인 체험을 하는 경우에 발생한다. 루소는 자신이 산책 도중 갑자기 달려든 큰 개와 충돌해서 잠시 정신을 잃었다 깨어났을 때의 상태를 묘사했는데 그 때 그런 경험을 한 것이다.[129] 그는 잠시 기절함으로써 기억을 잃고 멍한 상태가 되었는데, 그에게 과거란 사람들의 영향력과 자신에 대한 기대 때문에 자아가 왜곡되었던 경험을 의미했다. 정념으로 가득 찬 과거, 염려로 가득 찬 미래가 일순간 지워짐으로써 루소는 현존함과 진정한 자기 자신이 되는 경험을 한 것인데 그것은 희열과 행복에 찬 순간이었다고 회상했다.

이처럼 사람은 위험에 처할 때 에고가 잠시나마 사라지는 경험을 한다. 놀이공원에서 아찔한 롤러코스터를 탈 때 에고는 순간적으로 사라진다. 그 정도는 아니지만 나는 얼마 전에 자갈이 많은 산길에서 맨발걷기를 한 적이 있는데 날카로운 돌을 밟지 않으려고 한 발 한 발 신경을 집중하다보니 다른 생각들이 사라져 머리가 좀 개운해진 듯한 느낌을 받기도 했다. 하물며 한걸음 한걸음에 생명을 건 위험한 히말라야 등반 같은 것을 하는 사람들의 경우는 말할 필요도 없으리라. 에고의 어지러운 마음은 위험이 코앞에 닥치면 기능하지 못하고 정지한다.[130] 그 때 에고를 넘어 본성을 엿볼 수 있는 가능성이 열리는 것이다.

그러나 꼭 위험이 아니라도 상관없다. 내 마음 혹은 에고를 압도하여 그 작용을 무력화시킬 수 있는 강렬한 체험도 이에 해당한다. 아름다운 그림이나 사진을 보고 그것에 압도당할 때, 자연의 신비를 넋을 잃고 바라볼 때, 웅장한 음악을 듣고 마음이 고양될 때처럼 나의 감수성을 자극하고 평상시의 마음을 잠시나마 잊게 해주는 것이라면 그런 순간들은 많을수록 좋은 것이다.[131] 에고에서 벗어나는 체험이 많을수록 에고 없는 삶은 가까워진다.

그런데 현재에 집중한다는 건 단지 과거와 미래를 사라지게 하는 것만은 아니다. 그것은 또한 현재 자기가 하고 있는 일에 온전히 임한다는 것, 즉 자기 존재 전체로 임한다는 뜻이기도 한다. 이 말이 무슨 의미일까 싶을 수도 있는데 우리가 통상 하는 방식을 떠올려 보면 된다. 우리는 일상의 평범한 일들을 하는 경우 그 일에 존재 전체로 임하지 않는다. 그러니까 밥을 먹으면서 얘기를 한다거나 운전을 하면서 뭔가를 듣는다든지 하는 식이다. 존재 전체로 임한다는 건 나의 오감과 의식을 오직 하나의 행위에 집중시킨다는 것이다. 일상적이고 사소한 일이라고 해서 내 주의와 능력의 극히 일부만을 발휘하거나 중요치 않은 사람이라고 해서 형식적으로 대한다면 나는 그 행위를 내 존재 전체로, 즉 온전히 하지 않는 것이며 그 결과 그 행위는 진정 나의 것이라고 말할 수 없는 것이 되어버린다. 내가 하는 행위에 내 존재의 일부만을 내어주고 더 큰 관심은 다른 데에 가 있다면 그 체험을 하는 동안 나는 스스로 분열적인 존재가 되는 것이다.

이처럼 어떤 일에 존재 전체로 임하지 않을 경우 일은 완성되지 못하고 그냥 미완의 상태로 스쳐간다. 오쇼는 이에 대해 '미지근한 방식으로 삶을 부분적으로 사는 것'이라고 표현하면서 미완의 부분, 즉 진정으로 살아보지 못한 경험은 사라지지 않고 계속 내 주변에 머물며 나를 괴롭히고 내 주의를 사로잡는다고 하였다.[132] 이와 같이 현재의 체험이 완결되지 못하면 내 마음 속에는 불만이 쌓이고 미완의 상태들이 모여 이루어질 미래는 불안할 수밖에 없다.

현재에 집중하면서 존재 전체로 한다는 건 노장 사상에서 말하는 무위의 상태와도 통한다. 무위란 행위를 하지 않는다는 의미가 아니다. 오히려 존재 전체로 현재의 일에 몰입하되 그 일의 동기와 결과, 즉 과거와 미래를 생각하지 않는 것이다. 동기나 결과를 의식하면 일에 대한 집착이 생겨난다. 루소도 동기나 목적에 의미를 두어서는 안 된다고 하였다. "내가 결정을 내리는데 있어 숨은 동기들이란 대부분 그 근거가 확실치 않았다. 내가 먼 안목을 갖고 그것으로 힘을 내어 움직인 적은 거의 없다. 미래의 불확실성으로 나는 오랜 실천을 요하는 계획을 언제나 속임수처럼 여겼다."[133] 동기나 목적을 의식할 경우 나는 어떤 일을 하면서도 늘 생각의 한 부분은 과거나 미래에 가 있으므로 내 존재 전체로 임하지 못하며 그것은 일의 결과에도 영향을 끼칠 것이다.

사실 삶이 무료하다거나 그날이 그날 같다고 하는 것도 현재에 전념하지 못하기 때문이다. 삶은 나에게 늘 새롭고 놀라운 일들을 안겨주지만 나는 그것들을 보거나 느끼지 못한 채 계속해서 놓치고 있다. 나는 눈앞의 대상을 보면서도 과거의 기억과 미래의 기대를 투사함으로서 그것을 있는 그대로 보지 못한다. 늘 같은 방식으로 보기 때문에 새롭고 놀라운 대상을 전에 보았던 낡고 평범한 것으로 간주하고 지루해하며 지나쳐버리는 것이다.[134] 실제로 집 안에서 늘 보는 똑같은 얼굴, 창밖으로 늘 보이는 변함없는 풍경도 자세히 집중해서 보면 어제와 오늘 그리고 오늘과 내일이 다르다. 대상의 미세한 변화를 의식의 깨어 있음을 통해 감지한다는 건 흥미로운 일이 아닐 수 없다.

감정과 감각

눈앞의 대상에 전념하는 것 못지않게 중요한 건 나 자신의 감정과 감각을 의식하는 일이다. 이는 외부의 자극에 반응하느라 에너지를 분산시키는 대신 나의 감각과 느낌에 집중하는 것이다. 감각주의를 예찬한 루소는 감각 중에서 관심을 기울일 만한 것과 그렇지 않은 것을 구분할 것을 당부했는데 그 기준으로는 '느낌에 기쁨이나 고통의 분명한 감정이 결합되어야 한다는 것'을 들고 있다. 말하자면 그는 강렬하게 느낄 때만 관심이 있을 뿐, 별 감흥이 없거나 단순한 호기심에서 비롯되는 것에는 주의를 기울이지 않는다는 것이다. 이는 특히 현대인들이 귀 기울일 만한 말인데 왜냐하면 많은 현대인들이 무차별적 외부 자극들, 즉 자기에게 중요하지 않고 몰라도 무방한 것들에 시선을 보내고 얘기하며 마음을 빼앗기고 있기 때문이다. 영혼의 에너지를 외부의 잡다한 것들에 분산시키다보면 정작 나의 감각과 느낌에 쓸 에너지는 남아 있지 않게 된다.

감각을 선별하는 태도는 생각에도 적용되어 루소는 어떤 생각이 주는 인상이 그의 마음속까지 뚫고 들어가지 않으면 거기에 관심을 두지 않는다고 하였다. 루소는 "나만큼 타인의 일 혹은 나를 감동시키지 않는 것에 대해 호기심이 없는 사람은 세상에 없다"고 하였다.[135] "나는 혼자일 때는 아무리 한가하게 있을 때라도 권태를 몰랐다. 그러나 서로 마주앉아 혀만 놀려대는 나태한 객담 만큼은 결코 참을 수 없었다. 방 안에 가만히 앉아서 서로 의례적인 말을 교환하는 것은 견딜 수 없는 형벌이었다. 나는 비사교적으로 살지 않으려고 끈 짜는 일을 배울 생각을 했다. 누구를 방문할 때는 레이스 받침대를 가지고 갔다."[136] 그는 덧붙여 자신이 일상 대화에서 종종 상대방의 말을 건성으로 듣는 적이 있다고 하였는데, 그것은 다른 생각을 해서가 아니라 알 필요가 없어 관심이 가지 않는 말을 들어야 하는 피로를 감당할 수 없기 때문이라고 하였다.

반대로 루소는 자신이 느낀 강렬한 감정에 대해서는 무관심하지 않았다. 그는 '내면의 감정은 이성의 궤변에 대항하는 자연의 호소'라고 하면서 사람들은 흔히 감정에 따라 판단하면 실수하기 쉽다고 하지만 이 감정은 결코 우리를 실수로 이끌지 않는다고 하였다. 내면의 감정은 자연 자체의 감정으로 거짓을 꿰뚫어보는 통찰을 제공한다는 것이다. 따라서 그는 내면의 감정이 없다면 세상

에는 조금의 진리도 남게 되지 않을 것이라고 하였다.[137]

프롬이 말한 것처럼 현대 사회에서는 어떤 일이든 감정이 개입되면 안 된다는 게 상식처럼 받아들여진다. 감정적인 것은 흔히 정신적 미숙함으로 간주되며 개인은 감정 없이 사고하고 생활하는 것이 이상시되고 있다. 그런데 이 기준을 받아들임으로써 사람들의 생각은 빈약하고 단조로워졌다.[138] 고유의 감정에서 나오는 자기만의 생각이 아니라 틀에 박힌 논리와 상식적인 생각을 답습하기 때문이다.

루소는 자서전인 『고백록』을 저술할 때 가장 중시한 것 혹은 유일하게 믿을 수 있는 길잡이는 자기 존재에 관한 일련의 감정들이라고 하였다. 그에게 『고백록』은 삶에서 일어난 일들에 대한 객관적 설명이 아니라 주관적 감정, 즉 자신의 내면을 알리는 일종의 영혼의 역사였다.[139] 그가 이처럼 내적 감정을 중시한 것은 그것이 자연 그대로의 모습, 즉 자기 본성에서 우러나온 것이라고 보았기 때문이다. 실로 루소는 인간 존재의 중심을 이성으로부터 느낌으로 옮긴 사람으로 평가받거니와 그에게 느낌이란 이성보다 더 자연스러운 삶에 대한 감각이었다.

루소는 자연, 즉 본성은 자기 감정을 느끼는 사람에게서 온전하게 드러난다고 하였다. 감각과 감정을 느낀다는 건, 동물적으로 혹은 충동적으로 반응함으로서 서둘러 그 감정을 발산하거나 처리해버리는 대신 충분히 느끼고 주시하면서 내가 그 감정의 주인이 된다는 뜻이기도 하다. 사실 감정이나 정념의 내용보다 더 중요한 것은 그를 대하는 우리의 자세와 태도일 것이다. 어떤 감정이나 정념이 문제가 있을지라도 그것에 휘둘리지 않고 감정의 주인이 된다면 그 정념은 기준을 넘지 않을 것이고 또 해롭지 않을 것이지만, 반대로 좋은 감정일지라도 그것을 통제하지 못하면 넘치게 되어 나쁜 결과를 가져온다. 에밀의 교사는 말한다. "모든 정념은 우리가 그 주인으로 남아 있을 때는 좋은 것이고 거기에 굴복할 때는 나쁜 것이 되네… 한 남자가 남의 아내를 사랑하더라도 그가 이 불행한 정념을 의무의 법칙에 묶어둔다면, 그것은 죄가 되지 않네. 그러나 자기 아내라 하더라도, 그 사랑을 위해 모든 것을 희생시키는 정도가 되면, 그것은 죄가 되는 것일세."[140] 이상하게 들릴 수 있겠지만 비록 남의 아내에게 사랑의 감정을 느꼈다 할지라도 그가 감정의 주인이 된다면, 즉 선한 판단을 내리고 그에 따라 행동한다면 그는 정념에 예속되지 않고 오히려 도덕적 자유를 누릴 수 있다는 말이다. '나쁜 정념을 도덕적 자유와 연결시키다니 궤변이 아니냐'라고 할지 모르지만 다음의 예를 통해 판단해보시기 바란다.

유명한 인물로서, 19세기 자유주의 사상의 대표자인 영국의 존 스튜어트 밀(1806-1873)의 경우를 살펴보자. 신동 소리를 들으며 어린 나이부터 학문에 매진한 그는 스물네 살 때 처음으로 사랑에 빠지게 되는데 상대는 연상의 유부녀 테일러 부인이었다. 하지만 양심이 정한 선의 규율이라는 기준을 어길 수 없었던 그는 무려 20년을 기다려 그녀가 과부가 된 다음에 결혼했다. 그는 좋다고 할 수 없는 감정을 가졌으나 그것을 다스림으로써 좋은 방향으로 인도한 것이다. 그에게 20년은 구속이 아니라 오히려 자기 감정의 주인이 되어 자유를 누린 기간이었다. 그 점에서 밀은 자유주의 이론의 주창자일 뿐 아니라 도덕적 자유를 실천한, 실로 진정한 의미의 자유라는 말이 잘 어울리는 사람이었다.

루소 역시 자기에게 우정보다 애정에 가까운 태도를 보인 두드토 부인에게 사랑을 느낀 바 있다. 그는 유부녀를 사랑한다는 건 스스로도 미친 짓이라고 생각했지만 자신은 그녀를 유혹할 의도가 없으며 실제 사랑으로 발전될 가능성이 없으므로 양심의 가책을 느끼지 않았다고 하였다.[141]

그렇다면 어떻게 자기감정의 주인이 될 수 있을까? 루소는 이에 대해 '우리가 다른 사람들의 눈에 돋보이기 위해서가 아니라 우리의 본성에 따라 선하고 현명해지며, 또 우리의 의무를 실천하면서 행복해지기 위해 진지하게 자신을 계발한다면' 우리는 이 세상 삶을 사는 동안에 쉽게 자신과 자기 감정의 주인으로 남을 것이라고 하였다.[142] 여기서 그는 본성과 의무를 강조하고 있다. 우리는 매사를, 즉 자신의 감정까지도 늘 자신의 본성, 즉 영혼에 비추어 판단해야 하며 그것이 명하는 의무를 실천함으로서 욕망이나 감정에 휘둘리는 대신 그 주인이 될 수 있는 것이다.

사회 속의 자연인

3장에서 우리는 에고를 넘어 존재의 본질에 다가가는 것에 대해 살펴보았다. 본성을 이해하고 그 요구에 따르는 것이 자연인으로 사는 삶, 즉 좋은 삶이다. 루소는 이러한 자연인은 드물다고 하였다. "그런데 정말로 인간적인 삶을 사는 사람, 세상 사람들의 인정이나 비난을 고려하지 않으며 오직 자신의 성향과 이성에 따라 행동하는 사람, 그런 자연인이 어디 있을까요?" 그런 사람이 드물다면 그건 물론 사람들이 에고에 사로 잡혀 살기 때문이다. "모두들 행복을 추구하는데 실체에는 아무런 관심을 갖지 않아요. 모두들 외양을 실체로 여기지요. 모두가 이기심의 노예가 되고 이기심에 속아서, 살기 위해 사는 것이 아니라 살았다고 남들이 믿게 하기 위해 살고 있습니다."[143]

그러나 가능성이 없는 건 아니다. 루소는 자기 자신 그리고 에밀을 '사회속의 자연인'이라고 칭함으로써 원초적 야만인과 같지는 않더라도 문명과 사회 속에서 자연을 추구하고 본성을 회복할 여지가 있음을 보여주었다.

실제로 루소가 묘사한 사회 속의 자연인의 특징을 보면, 무슨 초인이 되는 것 같은 어려운 일은 아니라는 걸 알 수 있다. 그 첫 번째는 자애심 혹은 자기애이다. 그는 자신을 더 잘 사랑할 줄 알기 때문에 타인을 거의 의식하지 않고 특히, 비록 덕을 행하지는 않더라도, 최소한 타인에 대해 적의를 품지 않는다.[144]

두 번째는, 첫 번째와 겹치는 부분이 있지만, 자신에 대한 전념과 타인에 대한 무관심이다. "그는 언제나 자신의 행복을 갈망하여 자기 자신에게 전념하므로 타인은 더 이상 자기의 경쟁 상대 혹은 의존 대상이 아니다. 따라서 그는 다른 사람의 허물이나 과오를 생각할 틈이 없으며 이기심에서 나오는 질투어린 비교도 하지 않는 것이다."[145] 말하자면 사람들이 자신들보다 타인에게 전념한다면 자연인은 타인보다 자신에게 전념하는 것이다.

세 번째 역시 첫 번째와 다소 겹치는데 그것은 자족감이다. 그는 자기를 만족시키는 데서 삶의 행복을 찾고자 한다. 그러므로 그는 자신을 드러내 보이지도, 타인을 들여다보려고 하지도 않는다. "내가 본 그는 무엇보다 휴식을 좋아하고, 사람들이 자신을 평화롭게 내버려두기만 한다면 세상 사람들에게 알려지지 않고 싶어 합니다."[146] 말하자면 그는 다른 사람과 비교하지 않으면서 있는 그대로의 자기 자신을 느끼는 것에 만족하고 사람들 속에서 자신의 위치가 어떤 것인지 찾으려하지 않는다. 그는 가장 행복한 상태는 타인의 존경이 아니라 자기 마음이 만족하는 상태라는 걸 잘 알고 있다.[147]

결국 이 셋은 서로 겹치면서 이어진다. '사회 속의 자연인'은 기본적으로 자기를 사랑하므로 타인보다는 자기에게 관심이 있고 자기를 만족시킬 수 있는 것을 찾아 몰두한다는 것이다. 그렇게 하면 에고는 저절로 사라진다. 사실 이 정도의 미션은 크게 어렵지 않아 보인다.

정말 이 정도면 되는가? 누락한 것은 없는지 루소가 제시한 '사회 속의 자연인'에 관한 언급들을 좀 더 찾아보자. 루소는 에고에서 벗어난 사람은 욕망과 행동에 있어서도 다를 수밖에 없다고 하면서, 자기 자신은 사람들의 평가나 여론을 고려하지 않은 채, 자기에게 좋고 타인에게 유용하다고 생각되는 일을 하면서 삶을 즐긴다고 하였다. 실로 본성이 요구하는 것이란 '자기에게 적합한 일만을 하는 것'이므로, '사회 속의 자연인'은 타인과의 관계를 고려하지 않고 자기가 진정으로 필요하다고 느낀 일을 한다는 것이다. 그런데 이것은 말처럼 쉬운 문제는 아닌 것 같다. 그 타인이 가족 혹은 부모일 경우 그들에 대한 나의 의무는 나의 필요나 욕구만큼 중요한 것이기 때문이다. 붓다는 가장으로서 가족에 대한 의무와 자식으로서 부모에 대한 의무를 뒤로 하고 오직 고통스런 삶과 윤회의 굴레에서 벗어나고자 하는 자신의 필요를 추구하여 출가했기 때문에 깨달음과 희열을 얻었고 수많은 중생을 구제했다. 그럼에도 불구하고 부모와 가족에 대한 개인적 회한은 늘 남지 않았을까? 만약 붓다가 '사회 속의 자연인'이 되고자 했다면 자기 자리를 지키면서 깨달음을 추구했어야 할 것이다. '사회 속의 자연인'이 된다는 건 어쩌면 '자연 속의 자연인', 즉 사회를 등지고 자연인이 되는 것 못지않게 어려운 일일지 모른다. TV에 등장하는 '자연인'들 중 상당수가 가족을 떠나 홀로 자연 속으로 들어온 것을 보면서 그 자유가 부럽긴 하지만 무언가 결여된 듯한 인상을 받는 것도 사실이다.

이상으로 우리는 자유(1장), 에고(2장) 그리고 존재(3장)에 관해 살펴보았다. 요점은 우리의 자유를 속박하는 에고를 극복하고 본성을 회복함에 있어 존재에 대한 깨달음이 필요하다는 것이다.

그런데 다음 장으로 가기 전에 짚고 넘어가야 할 것이 있다면 바로 에고에 관해서이다. 에고는 그 폐해가 분명하지만 과연 그것이 없는 인간과 사회를 생각할 수 있을까? 또한 에고는 꼭 소멸되는 것이 바람직한가라는 의문이다. 사실 이 의문은 루소 자신이 품은 것이기도 하다.

그 폐해에도 불구하고 이기심은 많은 좋은 것들의 필요조건이다. 에고가 있어야만 삶에 쾌락과 의미를 부여하는 많은 가치들이 가능하기 때문이다. 우선 '인간에게 알려진 가장 감미로운 감정, 즉 부부애와 부성애'는 그 바탕에 에고가 자리하고 있다.[148] 부부애 및 가족애로 이루어진 가족생활은 자신을 차별화하는 욕구인 에고가 생겨난 다음에 가능하다. 부모가 자녀에게, 남편이 아내에게 또 자녀가 부모에게 특별한 존재가 되고 싶어 하는 마음은 에고의 작용이 분명하지만 그것이 가족의 행복과 품격을 해친다고 말하긴 어렵다.

실로 자연스런 삶 혹은 좋은 삶을 사는데 있어 에고가 꼭 소멸되어야 하는 것은 아니다. 좋은 삶이 요구하는 욕구와 능력 사이의 대략적 균형은 에고를 가진 사람에 의해서도 달성될 수 있다. 좋은 삶을 위해 요구되는 건 에고보다는 자기애이지만 그것은 에고를 완전히 배제한 자기애가 아니라 에고가 제한되며 자애심과 결합한 형태, 즉 질서가 잡힌 이기심 혹은 온건한 이기심을 뜻한다. 다음 장에서 살펴볼 사랑의 경우에도 에고는 그 안에 포함되어 있다.

그렇다면 에고를 제한하거나 질서를 잡아준다는 건 무엇을 말하는가? 이는, 오쇼에 따르면, 에고에 휘둘리지 않고 자신이 에고의 주인이 된다는 것이다. 다시 말해 늘 에고를 앞세우기보다는 필요할 때 에고를 사용하고 그렇지 않을 때는 그것이 작동하지 않도록 스위치를 꺼두는 것이다.[149] 예를 들어 사회 속에서 활동을 할 때는 에고의 작용이 불가피하지만 그렇지 않고 혼자 있다거나 혼자서 어떤 일을 할 때에는 최대한 에고가 없는 상태, 즉 일종의 명상 상태에 처할 필요가 있다. 그럼으로써 에고가 공간을 조금씩 줄이는 반면 참자아가 드러나는 회수를 늘려가는 것이다.

4장 사랑

자유인가 사랑인가

살다보면 사람은 혼자 살 것인지, 함께 살 것인지 고민한다. 그런데 둘 중 어느 하나도 정답이 될 수 없다. 사실 둘 다 필요하다. 하지만 양립시킬 수 없기에 고뇌한다.

그러나 루소는 말한다. 둘은 양립할 수 있으며 행복하려면 양립시켜야 한다고. 루소에 따르면 혼자 산다고 자유로운 것도 아니고 함께 한다고 구속적인 것도 아니다. 혼자가 자유롭다고 생각하는 건 자유를 착각하기 때문이고 둘이면 속박한다고 생각하는 건 사랑을 오해하기 때문이다.

자유든 사랑이든 자기 존재를 중심으로 생각해야 한다. 그런데 우리는 흔히 상대에 대해 생각한다. 그래서 자유나 사랑을 착각하게 된다. 상대에게서 벗어나는 것이 자유가 아니며 상대를 소유하는 게 사랑이 아니다. 진정한 자유는 내 존재를 세우는 것이며 참된 사랑은 내 존재를 넓히는 것이다.

인간은 자유를 찾기 위해 고독을 선택하고 그 결과 존재감을 회복하지만 자유만으로는 충만하고 행복한 삶을 살기 어렵다. 루소는 '절대적인 고독은 자연에 위배되는 슬픈 상태'라고 하였다.[150] 본래 불완전한 인간이 고독 속에서 자족한다면 그는 외롭고 불행하다는 것이다.[151] 인간은 사랑으로 향할 때 행복과 보람을 느끼고 더 큰 존재감을 누린다.

자유를 위해 존재를 수립하고 수립한 존재를 사랑을 통해 확장하는 것, 즉 자유와 사랑을 연결시키는 건 가능하며 바람직하다. 그것은 자유와 사랑 사이에 나라는 존재가 들어감으로서 가능한데, 이때 자유와 사랑은 더 이상 양자택일이 아니라 존재를 매개로 연결되는 개념이다. 생각해 보면 자유나 사랑이나 자기 존재를 정립하지 않고는 가능하지 않다. 자기 존재에 대한 사랑과 확신이 없으면 남에게 의존하거나 예속되기 십상이다. 또한 참자아가 아닌 에고가 또 다른 에고를 진정으로 사랑한다는 것 역시 상상하기 어려운 일이다. 진정한 사랑은 에고의 담장을 허물 때 가능하기 때문이다.

물론 사랑은 기쁨과 행복 못지않게 고통과 구속을 가져다준다. 아이를 사랑하거나 아내를 사랑하는 것이 그냥 이루어지는 것은 아니다. 매순간 기쁨은 슬픔을 동반하고 행복은 고통을 달고 온다. 그러나 사랑이 저절로 이루어지는 것이라면, 혹은 그저 달콤하기만 한 것이라면 사랑은 우리 영혼에 어떤 영향도 끼치지 못한다. 영혼은 어려움을 이겨낼 때 단련되고 고양되기 때문이다.

여기서 반문할 수 있다. “루소가 사랑을 말한다고? 루소는 평생 제대로 된 가정을 꾸린 적이 없으며 동거인과의 사이에서 낳은 자녀들조차 모두 고아원에 내다 맡긴 인물 아닌가? 루소야말로 자유의 예찬자일지 몰라도 사랑에 대해서는 할 말도 없고 말할 자격도 없는 인물이 아닌가?”라고.

루소가 이에 대해 어떤 답변을 할 수 있을지는 모르겠다. 다만 그가 자식들을 버린 죄의식과 회한에서 『에밀』이라는 자녀 교육론을 썼듯이 그는 진정한 사랑과 바람직한 가정을 꾸려보지 못했기에 『신엘로이즈』에서 이상적인 사랑과 행복한 가정의 모습을 그려냈다. 그는 『에밀』에서 사회로부터의 자유를 추구했다면 『신엘로이즈』에서는 사랑을 통한 행복을 추구했던 것이다.

그런데 루소 자신도 고백했다시피 사랑의 욕구는 사실 자유의 그것보다 더 우선적이고 억제하기 어려운 것이다. "내 욕구 가운데 으뜸가는 욕구, 가장 억제할 수 없는 욕구는 내 마음 속에 있었다. 그것은 가장 친밀한 사귐에 대한 욕구였다. 내게 남자보다는 여자, 남자 친구보다는 여자 친구가 필요했던 것은 특히 그 때문이었다."[152]

사랑은 루소뿐 아니라 인간관계가 단절적인 현대인에게는 더 절실한 욕구이다. 사생활과 개인주의가 우선하는 현대사회에서 개개인은 타인과 세상으로부터 분리되어 있다. 특히 내가 사람들에게 의미 없거나 관심 받지 못하는 존재라고 느끼는 순간 삶은 공허해지고 그런 상태를 받아들일 수 없기에 사람은 타인과 결합하고자 한다. 그 점에서 특히 연애, 즉 개별적인 타인과의 사랑은 더 깊고 강렬한 감정을 부여함으로서 관계의 욕구를 채워준다.[153]

그래서 오쇼는 사랑이 가장 위대한 테라피라고 하였다. 그러나 사랑에 빠진 사람들조차 여전히 테라피를 필요로 하는 것은 진정한 사랑이 없기 때문이다. 몸이 음식을 필요로 하는 것처럼 영혼은 사랑을 필요로 하는데 오쇼에 따르면 90%의 사람이 사랑을 받지 못했기 때문에 심리적인 문제를 안고 산다는 것이다.[154]

에고와 사랑

이처럼 현대인은 사랑을 필요로 하지만 쉽게 사랑에 빠지지 못한다. 사랑은 한편으로 달콤하지만 한편으론 두렵기 때문이다. 진정한 사랑은 에고의 소멸을 뜻한다. 사랑을 할 때는 '나는 이런 사람이다'라거나 '이것은 누구도 건드릴 수 없는 내 영역이다'라는 관념을 버려야 한다. 사랑을 할 때는 에고로 존재할 수 없는 것이다. 에고란 '나는 타인 그리고 우주 만물과 분리된 존재'라는 생각이며, 에고의 사랑은 상대와 독점적 관계, 즉 소유의 관계를 맺고자 하는 것이다. 반대로 진정한 사랑은 상대와 하나 되는 체험을 가능케 함으로써 내가 분리된 에고가 아니라 전체의 일부임을 깨닫게 해준다. 이처럼 사랑은 난생 처음으로 에고가 아닌 것에 빠져들게 하지만 바로 그 때문에 에고, 즉 내 자아는 사랑을 두려워한다.[155]

따라서 에고를 포기하고 사랑을 선택하기란 쉬운 일이 아니다. 그러나 사랑 없이 사는 것은 공허하고 무기력하다. 그래서 인류가 찾아낸 방법은 에고를 유지해줄 수 있는 사랑, 즉 가짜 사랑을 하는 것이다.[156] 하지만 가짜 사랑은 갈등과 충돌 그리고 고통을 낳을 뿐이다. 자기중심적인 두 에고가 늘 한 공간 안에 있다고 생각해보라. 평화롭다면 더 이상하지 않을까?

반면 진짜 사랑은 자아의 포기를 대가로 요구하는 만큼 그것이 가져다 줄 보답은 상상 이상이다. 무엇보다 우선 사랑은 철옹성 같던 에고의 소멸을 가능케 해준다. 몇 년 간의 명상이나 수행에도 끄떡없던 에고가 우연히 만난 한 여인 앞에서 녹아내리는 체험이야말로 사랑의 신비가 아닐 수 없다. 거기에다 에고가 사라지면서 참 자아가 모습을 드러낸다. 진정한 사랑은 나에게 여인과 참 자아라는 두 개의 선물을 가져다준 것이다. 물론 다시 말하지만 선물을 받기 위해선 자아의 탈을 쓴 에고를 포기하는 고통을 감내해야 한다. 수십 년 동안 주변 사람들이 모두 잘 키우라고 했던, 그리고 나 스스로 애지중지하며 믿어왔던 내 자아가 소멸되는 변형의 과정을 참아내야 하는 것이다.

이렇게 본다면 사랑이란 비단 상대를 찾는 것일 뿐 아니라 나 자신을 찾는 일이기도 하다. 나아가 한 사람과의 사랑이 확장되면 나의 사랑은 존재계 전체로 뻗어나갈 수 있다. 다시 말해 내 마음에 사랑이 가득차면 나는 언제 어디서든 존재계와 하나가 되는 체험을 할 수 있는 것이다. 숲을 바라보면 그 안에 있는 나무와 새들과 하나가 되며 바다를 보면 그 넓고 잔잔한 품속에 내가 안겨 있는 것 같은 체험을 할 수도 있다.

이처럼 사랑이 나 자신을 존재계로 확장시키는 것이라면 사랑은 더 이상 자유와 대립하지 않는다. 오히려 사랑이 나로 하여금 울타리를 벗어나 멀리 뻗어나갈 수 있게 자유를 주는 것이다. 반대로 에고는 속박이다. 나에게 속박임은 물론 상대에게도 속박이다. 에고의 사랑은 상대를 소유하고 지배하는 데서 만족을 찾기 때문이다.[157]

조건부 사랑

우리는 흔히 사랑을 떠올릴 때 조건부 사랑을 생각한다. 상대는 이러이러한 조건을 갖춰야 하고, 또 나에게 어떻게 해주느냐에 따라 나도 그만큼 할 거라는. 그래서 사랑은 종종 상대의 조건을 따지는 일이 되어버린다. 실제로 우리는 무조건 사랑하기보다는 조건을 따져보라는 말을 들어왔다. 하지만 사랑은 상대의 조건이 아니라 상대를 있는 그대로 인정하고 받아들이는 것이다. 오쇼가 말한 것처럼 우리는 어쩌면 상대가 필요 없을 때 진정으로 사랑할 수 있을지 모른다. 상대와의 포근한 나눔 그리고 깊은 이해는 상대에 대한 필요, 요구 그리고 욕망, 즉 조건을 초월함으로써만 가능하기 때문이다.[158]

사실 수십 년을 함께 한 부부라도 조건부 사랑에서 자유롭지 않다는 생각을 하게 된다. 가끔 만나는 친구 부부가 있는데 만날 때마다 얘기의 단골 소재가 일상에서 남편에 대한 아내의 불만 사항들이다. 사소해 보이는 다툼을 조금 진지하게 받아들인 이유는 그것이 종종 진짜 싸움으로 커질 뿐 아니라 무엇보다 그들만의 문제가 아니기 때문이다. 친구 아내의 기본 입장은 '아내를 사랑한다면 이 정도는 맞춰주는 게 당연하지 않나'라는 것이다.

틀린 말 같지는 않지만 무언가 '사랑을 너무 자기 편의대로 규정하지 않나'라는 느낌은 들었다. 곰곰이 생각해보니 그건 일종의 조건부 사랑이었다. 그건 바꿔 말해 자기에게 맞춰주지 않는다면 진정으로 사랑하지 않는다는 것 혹은 '내 말에 따라야 우리가 진정 사랑하는 사이다'라는 것이기 때문이다.

물론 친구 아내의 불만 사항은 전혀 이치에 어긋나는 것이 아니었다. 그러나 이치를 앞세워 거기에 따라야 사랑이라고 하는 건 사랑을 논리로 보는 입장인데, 생각해보면 논리야말로 사랑의 반대인 것이다. 사랑이 상대를 있는 그대로 인정하고 수용하는 것이라면 사랑의 반대는 미움이 아니라 논리이다. 상대를 설복해서 혹은 논리적으로 굴복시켜서 수립하려는 사랑은 에고에 만족을 줄지는 몰라도 사랑의 궁극적인 차원, 즉 평화와는 거리가 멀다. 사랑은 상대와 진리를 논하거나 이치를 따지는 것이 아니라 인정과 수용을 통해 평화와 충만함에 이르는 것이다.

그럼에도 불구하고 '상대가 이렇게 변했으면' 하는 바람이 있을 수 있다. 이 경우 신기한 건 상대에 대한 판단이나 간섭이 없을 때 상대를 변화시킬 수 있다는 점이다. 왜냐하면 상대는 마음으로 감동을 받을 때에만 진정으로 변화를 시도하기 때문이다. 따라서 사랑의 힘은 조건이나 간섭이 없을 때 발휘된다. 조건 없는 사랑만이 상대를 달라지게 하는 것이다.

가치와 사랑

루소에 따르면 사랑이란 꼭 상대방 개인을 사랑하는 것이 아니다. 사랑이란 내가 사랑하는 가치를 상대를 통해 실현시키는 것이다. 사람들은 적절한 상대를 찾는 것이 사랑의 전부라고 말한다. 하지만 사랑은 특정 개인이 불러일으키는 것이 아니다. 내 속에서 발현될 기회를 기다리는 가치가 대상을 통해 현실화하는 것이다. 에밀의 교사는 말한다. "그는 상대 여성이 아름답고 정숙하기 때문에 그녀를 사랑한다고 생각할 수 있지만 이는 착각이다. 그는 본래 그 가치들 - 아름다움과 정숙함 - 에 대한 사랑의 감정을 가지고 있으며 상대는 그 사랑이 발현되는 출구인 것이다."[159]

『신엘로이즈』에서 생 프뢰는 쥘리를 사랑하는 이유에 대해 자신이 미덕을 사랑하기 때문이라고 하였다. "내가 왜 이렇게 그대를 사랑하는지 잘 알고 있으신가요? 그것은 미덕에 대한 사랑이 그대의 매력에 대해 내가 느끼는 사랑을 더욱더 물리칠 수 없을 만큼 강하게 만들기 때문입니다."[160] 생 프뢰는 미덕을 중시하지 않는다면 쥘리에게 매력을 느끼지 못했을 거라는 것이다.

따라서 내가 상대의 매력을 찬미한다면 그건 착각일지언정 기만은 아니다. 나는 마음으로 매력의 가치를 믿고 있기 때문이다. 쥘리는 말한다. "그래요, 님이여, 나를 찬미하고, 나를 아름답고 매력적이고 완벽하다고 생각하세요. 우리가 지니지 않은 완전미를 칭찬하는 연인은, 사실은 그가 묘사하는 대로 보는 것일 테지요."[161] 내가 믿는 가치를 상대를 통해 구현하는 것이 사랑이라면, 상대에게 실제 그 가치가 있고 없고는 문제되지 않는다. 상대가 그 가치를 받을 자격이 되게끔 도와주려는 노력이 진정한 사랑이다. 프롬이 말한 것처럼 '사랑은 단순한 애착이 아니라 자신이 좋아하는 가치를 상대가 완성시켜 행복과 발전을 누릴 수 있도록 적극적으로 노력하는 것'이기 때문이다.[162]

참된 사랑

물론 사랑은 방금 말한 책임과 배려만은 아니다. 그랬다면 수많은 아름다운 혹은 슬픈 사랑의 에피소드들은 탄생하지 않았을 것이다. 사랑을 환희 혹은 비탄으로 만드는 것은 '낭만적인 사랑'에 대한 욕구이다. 완벽한 상대에게 찬사를 보내면서 절대적으로 헌신하는 비현실적 사랑말이다.

그러나 『신엘로이즈』의 쥘리는 로맨틱한 사랑에 맞서 '참된 사랑'을 역설한다. 후자는 정숙함과 품위 그리고 정직이 인도하는 사랑이다. 따라서 참된 사랑은 집착과 소유욕은 물론 관능의 위험으로부터 두 연인을 구해준다. "우리를 유혹에서 구해주는 것도, 단 한 명의 상대를 제외하고는 이성을 아무 것도 아닌 것으로 여기게 해주는 것도 바로 그 참된 사랑이고요… 비밀, 침묵, 겁 많은 부끄러움이 사랑의 감미로운 격정을 자극하는 동시에 가려주고요. 관능적 쾌락의 한가운데서조차 품위와 정직이 함께 할 수 있으므로 참된 사랑만이 수치심을 잃지 않고도 욕망에 모든 것을 허가할 줄 알아요."[163] 사실 사랑은 그저 때가 되면 으레 하는 것이라고 생각하기엔 너무 중대한 위험들 – 격정, 관능의 쾌락 – 을 내포하고 있다. '참된 사랑'에 대한 인식은 얼마나 많은 연인들을 위험에서 지켜줄 수 있을 것인가!

그렇다면 '참된 사랑'에서 사랑의 모순은 어떻게 되는가? 말하자면 헌신적이며 완전한 결합을 하면서 나의 개성과 존재는 어떻게 보존할 것인가? 그러나 문제는 오히려 온전한 결합을 하지 못할 때 발생한다. 우선 참된 사랑은 자기애가 넘치는 사람만이 가능하다. 자기를 사랑하는 사람만이 그 에너지를 상대에게 베풀 수 있는 것이다. 그럼으로써 상대가 자유와 행복을 누리면 나의 가치, 즉 존재감이 충족된다. 따라서 참된 사랑은 상대를 소유하거나 상대에게 의존하지 않고 동등하게 결합한다. 둘 중 한 사람이라도 자유롭지 못하면 둘 모두 행복을 기대할 수 없기 때문이다. 결국 자유로운 두 존재가 자기 보존을 꾀하면서 배려와 책임을 다하는 것, 그것이 완전한 결합이며 이기심과 거리가 먼 사랑이다.

루소는 진정한 사랑은 서로의 존재를 공유하는 것이라고 하였다. 그 의미는 본질적 소유로서 오히려 그로 인해 자기 자신을 되찾는 것이다. 루소는 바랑 부인과의 관계에 대해 말한다. "우리는 어느덧 더 이상 서로 떨어지지 않고, 말하자면 우리의 존재를 공유하기 시작했다. 그리고 우리와 관계가 없는 것은 더 이상 아무 것도 생각하지 않고 우리의 행복과 모든 욕망을 이러한 상호간의 소유에 완전히 국한시키는데 익숙해졌다. 이러한 소유는 사랑의 소유가 아니라 더욱 본질적인 소유로서 인간이 그로 인해 자신이 되는 모든 것이다."[164] 존재를 공유함으로써 자기 자신이 된다는 것은 자기의 행복과 욕망을 상대와 함께 나눔으로써 본성을 회복할 수 있다는 것이다. 그것은 내가 더 이상 에고의 울타리에 갇히지 않음으로서 경계가 없는 마음인 본성을 되찾는 것이기 때문이다. 이는 나의 것을 내놓음으로써 진정한 나를 되찾는 실로 신비로운 사랑의 연금술이 아닐 수 없다.

물론 그러기 위해서는 사랑의 본질을 유념해야 하는데, 그것은 상대에게 사랑의 감정을 느끼는 것만이 아니라 상대를 위해 실제 수고와 노력을 아끼지 않는 것이다.[165] 말하자면 상대가 자기 가치를 실현하여 좋은 삶을 살도록 배려와 책임을 다하는 것이다.

배려와 책임을 다하는 사람은 사랑할 준비와 능력을 갖춘 사람이다. 그 사람은 매력적인 사람으로 사랑 받을 가능성도 크다. 매력이란 사랑하는 능력에 달려있기 때문이다. 사랑할 준비도 능력도 없는 사람은 매력이 없다. 사랑받고자 하는 사람은 사랑을 실천함으로써, 즉 수고하고 배려함으로써 매력을 보여주어야 한다.

루소도 사랑받는 비결은 남을 사랑하는 것이라고 하였다. 『신엘로이즈』에서 클레르는 사랑할 줄 아는 쥘리를 찬미한다. "친구, 친지, 하인, 이웃 그리고 도시 전체가 일치해 너를 우러르고 너에게 가장 다정한 관심을 보인다면... 그것은 너의 다정한 영혼과 비길 데 없이 부드러운 애정이란다. 네가 사랑받는 건 바로 사랑할 줄 아는 이 재능 때문이야. 사람들은 호의 외에는 모든 것을 물리칠 수 있어서, 타인들을 애정으로 대하는 것만큼 그들의 애정을 더 확실하게 얻을 방법은 없지."[166]

미덕과 사랑

루소가 강조한 참된 사랑은 미덕으로서의 사랑이다. 에밀과 소피의 첫 애정은 정직한 감정의 일치로 생겨나는데 그것은 미덕에 관한 것이다. "그들은 미덕에 가치를 부여하고 서로를 사랑하는 것에 관해 열정적으로 이야기한다. 그들이 미덕에 바치는 헌신으로 미덕은 그들에게 소중한 것이 된다."[167] 두 연인은 미덕에 헌신함으로써 영혼의 가장 매력적인 희열을 맛보는 것이다.

따라서 소피는 자신의 미덕을 보고 사랑할 그런 사람이 아니라면 거들떠보지도 않을 것이다.[168] 에밀을 사로잡은 소피의 미덕은 감수성, 선행 그리고 올바른 것들에 대한 사랑이며, 소피가 주목한 에밀의 미덕 역시 마찬가지이다. "소피 역시 자기 애인의 마음에 있는 타고난 모든 감정들을 대가로 자신을 내놓았는데 그것은 진정한 덕행들에 대한 존중, 검소, 소박함, 관대한 무사무욕, 사치와 부에 대한 경멸이다."[169]

실로 방탕한 자는 여성에게서 쾌락을 구하지만 덕 있는 사람은 여성의 미덕에 열광한다. "이처럼 도덕관념이 있는 사람들의 눈에는 여자들이 감동적이고 순결한 매력으로 빛을 발할 수 있고 오직 그런 매력만이 진정으로 사랑에 빠진 가슴을 열광케 하는 것입니다. 반면 방탕자들은 여자를 쾌락의 도구로만 보지요. 없어서는 안 될, 필요에 의해 날마다 사용하는 요강처럼, 필요하지만 무시하는 도구말입니다."[170]

루소 작품의 여주인공들은 미모보다 미덕의 매력이 빛난다. 『신엘로이즈』의 쥘리 역시 감수성, 상냥함, 동정심, 분별력과 세련된 취향을 구비하였다. 생 프뢰는 쥘리에게 보내는 첫 편지에서부터 쥘리의 미덕을 찬양한다. "아름다운 쥘리, 당신의 미모는 제 두 눈을 부시게 했지만, 만일 그 미모에 활기를 불어넣는 더 강렬한 매력이 없었다면, 제 마음이 결코 혼란에 빠지지 않았을 것입니다. 그 매력이란 무척이나 예민한 감수성과 변함없는 상냥함의 감동적인 결합이고, 타인의 모든 불행에 그토록 민감한 동정심이며, 순결한 영혼에서 나오는 공정한 분별력과 세련된 취향입니다."[171] 쥘리의 경우는 앞에서 본 소피의 매력에 세련된 취향이 추가된 정도이다.

미덕이 외모와 어우러질 때 비로소 외모는 매력을 발휘한다. 생프뢰는 거듭 강조한다. "쥘리, 내가 당신의 매력적인 외모를 열렬히 사랑하는 것은 무엇보다도 외모에 활기를 주고 또 당신의 얼굴 모습 전체를 숭고해 보이게 하는 티 없는 영혼의 흔적 때문이 아니겠습니까?"[172]

덕 있는 여성의 외모는 화려하고 빛나기보다는 우아하고 단아하며 고상하고 세련된 미로 나타난다. 그것은 루소가 밝힌 자신의 실제 여성 취향이다. "(여성에 대해) 내 마음을 끄는 것은 신분이나 지위에 대한 허영이 전혀 아니다. 그것은 더욱 잘 젊음이 보존된 얼굴빛, 더 고운 손, 더 우아한 차림, 온 몸에서 풍기는 곱고 단아한 자태, 옷맵시와 말투에서 나타나는 고상한 취미, 세련되고 맵시 있는 드레스, 예쁜 구두, 리본이며 잘 손질된 머리이다. 좀 덜 예쁘더라도 언제나 이런 쪽을 더 좋아할 것이다. 나 자신도 좀 우스꽝스럽다고 생각하지만 내 마음은 그런 것들을 더 선호한다."[173] 자기 취향이 웃음거리가 될 수 있다고 생각한 걸 보면 당시에도 사람들은 단아함이나 고상함보다는 화려한 미모를 선호했던 것 같다.

쥘리에게 구애하는 생 프뢰는 재차 미덕을 사랑의 조건으로 내

건다. "내가 미덕을 사랑하지 않게 될 때면 그대를 더 이상 사랑하지 않을 것이고 내가 최초로 비열해지는 순간부터 그대에게 사랑받기를 더 이상 원하지 않으렵니다."[174] 덕 있는 사람만이 사랑하고 사랑 받을 자격이 있다는 것이다.

그렇다면 그런 애인이 타락한 행동을 했을 때 미덕의 여인은 어떻게 하는가? 파리의 환락가를 방문한 후 자기 잘못을 고백한 생 프뢰에게 쥘리가 보낸 편지이다. "사랑은 성실을 잃을 때 가장 큰 매력을 상실합니다... 존경심을 없애면 사랑은 더 이상 아무 것도 아닙니다. 어떻게 여인이 명예를 잃은 남자를 존경할 수 있겠어요? 비열한 오입쟁이에게 겁도 없이 몸을 맡기는 여인을, 그 남자인들 어떻게 열렬히 사랑할 수 있을까요? 결국 그들은 곧 서로 경멸하게 될 것입니다."[175] 쥘리는 상대에 대한 존경이 없다면 사랑은 무의미하다고 말한다. 왜냐하면 사랑은 상대를 높임으로서 자신도 높아지는 것이기 때문이다.

생 프뢰는 화답한다. "명예와 당신 중에 선택해야 한다면, 내 마음은 당신을 잃을 준비가 되어 있어요. 명예를 버린 대가로 당신을 지키기엔, 오 쥘리, 너무도 당신을 사랑하기 때문입니다."[176] 사랑에는 자격이 필요한데 타락한 사람은 상대를 훼손시키므로 사랑할 자격이 없는 것이다. 생 프뢰는 다시 한 번 타락하면 사랑을 포기하겠노라고 약속한다.

쥘리는 관능은 타락일 뿐 그것을 조장하는 건 무엇이든 궤변일 뿐이라고 못 박는다. "관능적 욕구를 본성이라고 하는 것은 핑계일 뿐, 그것은 타락이며 관능의 욕망은 억제하면 살아나지 않지만 유혹에 굴복하면 증가합니다."[177] 쥘리에 따르면 비열하고 가치 없는 것들이 사랑인 양 통용되는 건 사람들이 진정으로 사랑할 줄 모르기 때문이다.

실로 미덕에 따라 산다는 건 유혹과의 끊임없는 전쟁이다. 생 프뢰는 생각으로라도 유혹을 떠올리는 일은 없을 거라고 다짐한다. "사랑하는 친구여, 미덕은 전쟁상태라는 걸… 비록 유혹을 피하기 위해서라 해도 유혹을 생각하는 것은 적절하지 않아요. 나는 위험한 순간이나 여인들과의 은밀한 만남을 추구하는 일이 결코 없을 겁니다."[178]

결국 생 프뢰는 사랑의 순수한 마음을 잃지 않을 때에만 쥘리의 사랑을 얻을 수 있을 것이다. 쥘리는 말한다. "우리의 첫사랑을 생각하세요. 이 순수하고 감미로운 순간들이 그대의 기억 속에 맴도는 한, 어울리지 않는 방법으로 언젠가 쥘리를 얻고 싶어하는 것은 그대에게 가능하지 않을 거예요. 선에 대한 취향을 잃었는데 어떻게 선한 것을 느낄 수 있겠어요? 사랑하는 이를 소유하고 싶다면 사랑하는 마음을 한 결 같이 유지해야만 해요. 그래야 한답니다."[179]

루소가 기억하는 자신의 사실상 첫 사랑도 미덕의 사랑이었다. "그것이 내 생애 최초의 그리고 유일한 사랑이었다. 두드토 백작

부인은 나이가 서른에 가까웠고 전혀 아름답지도 않았다. 그녀는 곰보 자국이 있는데다 안색도 곱지 않았고 근시인데다 눈도 좀 둥글었다. 그러나 젊어보였고 발랄하고 부드러운 얼굴은 애교가 있었다… 그녀의 성격에 대해 말하자면 천사와 같아서, 유순한 마음이 그 바탕을 이루고 있었다. 그리고 그 성격에는 신중함과 힘을 제외한 모든 미덕들이 겸비되어 있었다."[180] 루소는 두드토 부인에게서 '나의 줄리'를 보았다고 하였다.[181]

미덕의 사랑은 상대를 소유하거나 독점하는 것이 아니다. 그저 상대의 행복을 위해 마음을 쓰는 것이다. 자기가 사랑하는 바랑 부인의 행복을 바란 루소는 그녀가 사랑하는 다른 남자, 즉 클로드 아네가 행복하기를 진심으로 바랐다. "나는 어떤 사람이 나보다도 더 그녀와 친밀하게 지낼 수 있다는 것을 알았을 때 고통스러웠다. 나로서는 남이 그 자리를 차지한 것을 보기란 힘 들었으며 그것은 매우 당연한 일이었다… (하지만) 나는 무엇보다도 그녀가 행복하기를 바랐다. 그리고 그녀가 행복하기 위해서는 그가 필요하기에 나는 그도 또한 행복한 것이 기뻤다."[182] 미덕의 사랑은 이처럼 상대의 행복에서 내 행복을 찾는 것이다. "적어도 나는 그녀에게서 내 쾌락보다는 내 행복을 구했던 것이다. 나는 그녀를 탐내기에는 너무나 그녀를 사랑하고 있었다."[183] 행복은 쾌락이 아니고 사랑은 소유가 아니다. 살아 있는 존재를 소유한다는 건 불가능하다. 소유하는 순간 상대는 살아 있음을 멈추고 사라지기 때문이다. 그런데 사랑은 상대가 있어야 가능하다. 따라서 소유는 사랑이 아니다.

5장 결혼과 가족

1 • 결혼

결혼과 부모

배우자 선택은 예나 지금이나 결혼의 난제이다. 『에밀』에서 소피의 아버지는 15살 된 딸에게 말한다. "소피야, 좋은 남편을 선택하는 것보다 더 어려운 일은 없다. 소피야, 너는 보기 드문 아내가 될 것이고 우리 평생의 명예와 우리 노년의 행복이 될 것이다. 너를 얻는 것을 자랑으로 삼을 남자는 많지만 너를 더욱 자랑스럽게 만들 남자도 많단다."[184] 여기서 특이한 것은 부모가 자신들의 행복을 언급하고 있다는 점이다. 소피가 자랑스럽고 소피로 인해 행복하다고 말함으로써 소피에게 책임감을 심어주려는 부모의 지혜이다. 그리고 남편감으로는 소피를 탐내는 사람보다 자랑스러운 남자, 즉 성실하고 헌신적인 남자를 고를 것을 권한다.

그러나 소피에게 기대치를 높이지는 말라고 당부한다. "너는 정숙한 여성들에게 어울리는 재능과 매력이 있지만 가난하다. 네게는 가장 존중할 만한 재산이 있지만 세상 사람들이 가장 존중하는 재산은 없기 때문이다. 그러니 네 처지가 가장 낮은 것이라는 사실을 잊지 말도록 해라… 소피는 엄마를 본받아 너를 자랑으로 여길 집안에만 들어가야 한다."[185] 가난한 집안 출신인 소피는 부잣집에 시집간다는 기대를 포기해야 행복할 수 있다. 자칫 무시당할 수 있기 때문이다.

아버지의 또 하나의 당부는 바람둥이의 관능적 유혹에 빠지지 말라는 것이다. "너는 경험이 모자라 사람들이 어느 정도까지 탈을 쓸 수 있는지는 알지 못한다. 능숙한 사기꾼이 자신에게 전혀 없는 미덕을 네게 꾸며 보일 수도 있단다. 그런 자는 너를 망쳐놓을 것이고 네가 잘못을 깨달았을 때는 돌이킬 수가 없어 눈물을 흘릴 수밖에 없게 된다. 온갖 덫 중에서도 가장 위험한 것, 이성도 피하지 못하는 유일한 덫은 관능의 덫이다."[186] 아버지는 소피가 감정이나 충동보다는 이성을 따르고, 연애와 성에 관해서는 어머니의 보살핌을 따르는 것이 바람직하다고 당부한다.

소피의 아버지는 자신이 딸의 배우자를 고르는 대신 소피에게 선택권을 부여한 다음 부모와 상의하도록 했다. 당시 관행과 다른 것이었다. "부모들은 자기 딸의 신랑감을 고르면서 딸과는 형식적인 상의 밖에 하지 않는다. 이것이 보통의 관습이다. 우리 사이에서는 정반대로 네가 고르고 우리가 상담을 받기로 하자. 소피야, 너의 권리를 자유롭고 현명하게 행사해라. 다만 합치점들에 대해 네가 잘못 생각하고 있지나 않은지를 판단하는 것은 우리가 할 일이다. 출신, 재산, 신분, 세상 평판은 우리에게 아무런 이유도 되지 못할 것이다. 용모가 네 마음에 들고 성격이 네게 맞는 성실한 남자를 택하도록 하여라. 다른 점에서 그가 어떠하든 우리는 그를 사위로 받아들일 것이다. 두 팔이 있어 일할 수 있고 품행이 단정하고 자기 가족을 사랑하기만 한다면 그의 재산은 언제나 충분히 많게 될 것이며…"[187] 요컨대 부모는 부나 명예, 가문 등 어떤 기준도 제시하지 않고 소피에게 기준을 일임하되 소피가 그것을 바르게 적용하는지에 대해서만 상담할 것이다.

자유는 소피를 더 책임 있고 신중하게 만들 것이다. 그것이 부모가 기대하는 바이다. "그녀에게 부여된 자유야말로 그녀의 영혼을 한층 더 고양시키고, 남편의 선택에서도 그녀를 더욱 까다롭게 만들 뿐이다."[188] 부모가 자기를 이토록 존중하는데 그녀 역시 거기에 합당한 딸이 되겠다는 결심을 하지 않겠는가?

그러나 실제로 이런 부모가 얼마나 될지는 의문이다. 대개 부모와 자녀는 갈등을 빚는다. 『신엘로이즈』에서 재산과 신분을 우선시하는 아버지와 저항하는 쥘리 사이에 나타난 갈등이 전형적인 사례이다. 생 프뢰의 친구인 영국인 에드워드 경은 쥘리 편에 선다. "재산과 신분의 차이는 결혼함으로써 사라지고 뒤섞일 테니 행복에 아무런 영향을 미치지 않지요. 그러나 성격과 기질의 차이는 지속되는 것이라서, 바로 그것 때문에 행복해지거나 불행해집니다."[189] 젊은 연인들의 처지를 동정한 에드워드는 영국으로 오라고 하면서 저택과 자기 재산의 절반을 제공하겠다는 놀라운 제안을 한다. 하지만 앞에서 보았듯 딸이 연인을 따라 도피했을 때 남겨진 부모가 얼마나 치욕 속에서 여생을 보내게 될 것인지 염려한 쥘리가 그 제안을 받아들이지 않음으로서 이 사건도 늘 그렇듯 아버지의 승리(?)로 막을 내린다.

그런데 성격과 기질의 차이가 행복과 불행을 좌우한다는 에드워드의 말은 어떻게 판단해야 할지 모르겠다. 일반적으로는 연애든 결혼이든 성격이나 기질이 유사할 때 갈등이 적다고 생각할 수 있지만, 뒤에서 볼 것처럼, 쥘리는 연애는 몰라도 결혼생활에서는 오히려 성격이나 기질이 다르다는 것이 보완효과를 가져온다고 말하고 있기 때문이다. 이 점에 있어 나는 의견을 말할 만큼 확신이 있진 않지만 다만 성격이나 기질에 절대적인 중요성을 부여하고 그 프레임에 스스로 갇히는 것은 바람직하지 않은 것 같다. 흔히 부부간 불화의 원인으로 성격 차이를 거론하긴 하지만 진짜 원인은 다른 데 있는 경우도 많은 것처럼 성격이나 기질은 결혼 생활에서 절대적 요소는 아니라고 생각한다.

신분의 차이

신분의 경우, 결혼 후 그 의미가 없어진다는 에드워드와 달리 에밀의 교사는 신분이나 재산의 차이가 불화로 이어질 소지가 크다고 하였다. "자신의 제자에게 그의 신분보다 높은 자리를 잡아주려고 해서는 안 된다. 귀족 신분이나 돈과 같은 다른 성질의 재산을 서로 벌충하려 들지 말라는 점도 말해두겠는데 왜냐하면 이 두 가지는 사람들이 이를 평가할 때 의견이 일치하는 일이 결코 없으며…"[190] 각자 자신이 가져온 신분이나 돈을 더 중요한 것이라고 두둔함으로써 불화를 일으키는 경우는 예나 지금이나 크게 다르지 않은 것 같다.

특히 신분이 높은 여자와 결합한 남자는 힘든 결혼생활을 각오해야 할 것이다. 아내가 권위를 요구하면서 남편을 휘두르는 폭군이 될 수 있기 때문이다. 그런가하면 루소는 아내 신분이 크게 낮을 경우에도 문제가 있다고 말한다. "왜냐하면 높은 신분의 남자를 행복하게 만들 수 있는 아내를 최하층민에서 찾아내기란 힘든 일이기 때문이다. 하층 사회 사람들의 행실이 더 나쁘기 때문이 아니라 그들에게는 아름다움과 올바름에 대한 관념이 별로 없기 때문이다."[191] 따라서 루소는 교양 정도가 현저하게 떨어지는 계층의 여자와 결합해서는 안 된다고 하였다. 왜냐하면 그 경우 아내와 생각의 교류를 할 수가 없어서 친교의 매력이 없어지기 때문이다.[192]

나아가 자녀 교육에 있어서도 어머니의 도덕적 소양은 중요하다. "더구나 생각하는 습관이라곤 전혀 없는 여성이라면 자기 자식들에게 무엇이 적합한지 어떻게 분간하겠는가? 자신이 알지 못하는 덕목을, 전혀 짐작도 못하는 가치를 갖추도록 어떻게 자식들을 준비시킬 수 있겠는가?"[193] 전혀 교육을 받지 못했거나 받을 수 없는 신분의 여자는 자식들을 훌륭한 정신의 소유자로 만들지 못할 것이므로 아내로 삼는 건 적절치 못하다는 것이다.

아내와 미모

배우자의 미모에 대해 루소는 호의적이거나 중립적이지 않고 오히려 부정적이다. 그는 배우자감으로 뛰어난 미모의 여성을 피할 것을 권한다. 그는 얼굴은 가장 먼저 눈에 띄지만 가장 나중에 고려해야 하는 것이라고 하였다. "미모란 소유하고 나면 즉시 퇴색하고 만다. 6주만 지나면 그것은 소유한 사람에게 더 이상 아무것도 아니게 되지만 미모가 지속되는 한 그 위험은 계속된다. 아름다운 아내가 천사가 아니라면 그 남편은 남자들 중에서 가장 불행한 사람이며 설령 천사라 하더라도 남편이 끊임없이 적들에 둘러싸이게 되는 것을 그녀가 어떻게 막을 것인가? 극도의 아름다움보다는 혐오스럽지만 않다면 차라리 못생긴 것을 나는 택할 것이다."[194] 루소에 따르면 결혼 후 얼마 지나지 않아 미모라는 건 아무 의미가 없어져서 아름다움은 오히려 불편한 것이 되고 못생긴 것은 이로운 것이 된다는 것이다. 물론 그에게도 혐오감을 일으키는 외모는 예외이다. 그런 느낌은 지워지기는커녕 끊임없이 커져서 증오로 바뀌기 때문이라는 것이다.[195] 어쨌든 결혼생활에서 아내의 미모에 큰 의미를 둘 필요는 없을 것이다. 결혼생활은 상대를 바라보고 생각하는 것이 아니라 함께 의무를 수행하는 것이 먼저이기 때문이다.

루소는 최상의 기준으로 중용을 제시하고 있다. "사랑을 불러일으키지는 않더라도 호감을 주는 유쾌하고 상냥한 얼굴이 바로 선택해야 할 얼굴이다. 우아한 매력은 아름다움처럼 퇴색하지 않는다."[196] 사실 화려한 아름다움은 금방 시들지만 선한 용모와 우아한 매력은 결혼한 지 30년이 지나도 남편 마음에 들 수밖에 없다.

소피

소피는 루소가 생각한 이상적인 여성상이다. 우선 소피는 뛰어난 미인은 아니지만 매력적이다. "소피보다 더 고운 눈, 더 예쁜 입, 더 당당한 풍채를 가진 여인은 있을 수 있다. 그러나 더 좋은 몸맵시, 더 아름다운 얼굴빛, 더 다정한 시선, 더 이상적인 얼굴을 가진 여인은 없을 것이다. 그녀는 사람을 현혹시키지 않고도 매혹시킨다."[197] 사람들은 흔히 눈이나 입, 몸매 등에 현혹되지만 루소에게는 좋은 몸맵시, 다정한 시선, 아름다운 안색이 더 큰 매력이다.

소피의 옷차림은 화려하거나 유행을 따르지 않지만 자기에게 어울리는 우아함과 단순함을 추구하는 매력이 있다. "소피는 유행하는 색이 어떤 색인지는 모르지만 자기에게 알맞은 색들은 기막히게 알고 있다. 보기에는 아주 수수하지만 실제로는 아주 멋진 몸치장이다."[198] 특히 소피처럼 자기 매력을 과시하지 않고 감추는 사람들은 오히려 사람들의 상상력을 불러일으킴으로서 매력을 더한다.

또한 소피는 가정 내 여성의 일들에도 능하다. "소피가 가장 잘 아는 것은 여성의 일들로 자기 옷을 재단해 바느질하는 것 같은 일들이다. 또한 살림살이의 온갖 자질구레한 일들에도 열심이다. 부엌이나 찬방에도 훤하며 가계부도 잘 적을 줄 알아서 어머니의 급사장 노릇을 하고 있다. 언젠가 주부가 될 그녀는 부모의 집을 관리하면서 자기 집 관리하는 법을 배우고 있다."[199] 소피는 집 안에서 하녀들이 하는 일까지 대신하는데 그녀의 어머니가 소피에게 일을 시키는 이유인 즉, 사람은 자기 자신이 할 줄 아는 일만 남에게 제대로 시킬 수 있다는 믿음 때문이다.

소피는 성격이 쾌활하고 재치가 있다. 그러면서도 소피의 재치는 과하지 않기 때문에 남의 입에 오르내리지 않는다. "소피는 사교계의 예의범절을 별로 알지 못하지만 싹싹하고 세심하며 자신만의 어떤 예절을 지니고 있는데, 그것은 형식에 얽매이지 않고 유행을 따르지 않으며 남의 마음에 들려는 참된 욕망에서 생겨나기 때문에 남의 환심을 산다. 꾸며댄 인사말을 생각해내는 일도 결코 없다."[200] 요컨대 소피가 호감을 사는 이유는 상대에게 겉치레 예절보다는 호의와 진정성으로 대하기 때문이다. 앞에서 보았다시피 사랑을 할 줄 아는 사람이 사랑을 받듯이, 호감을 사고 싶다면 자신이 먼저 호의적으로 대해야 하는 것이다.

나아가 그녀는 누구에게도 자신의 과오를 인정하는 겸손하고 솔직한 태도를 지닌다. "소피는 용서를 구하기 위해서라면 가장 미천한 하인 앞에서도 조금도 거리낌 없이 사과의 표시로 땅에 입맞춤을 할 것이다."[201] 말하자면 그녀는 남들의 잘못에 대해서는 너그럽고 자기 잘못은 기꺼이 바로잡는데, 루소는 이러한 겸손함과 솔직함이 본래 여성의 타고난 미덕이었지만 현재는 많이 변질되었다고 한탄한다.

특히 타인을 대할 때 소피의 조심성과 겸손은 두드러진다. "남성들보다 더 일찍 판단력이 형성되는 여성들은 남성들의 가치에 대한 타고난 심판자다. 소피는 이 권리를 행하기도 하지만 자기 능력이 미치는 것들 밖에는 판단하지 않으며 그것이 유익한 교훈을 발전시키는데 도움이 될 때가 아니면 판단하지 않는다."[202] 소피에게 여성의 덕목의 하나인 판단력은 보여주기 위한 것이 아니라 유익함을 위한 것이므로 조심스럽게 발휘된다. 특히 그 자리에 없는 사람이거나 다른 여성을 판단하는 일은 결코 없다.

끝으로 소피는 미덕을 사랑하는데 그것은 그녀가 명예와 미를 중시하기 때문이다. "소피는 미덕이 여성의 명예가 되고 유덕한 여성은 천사처럼 아름다워 보이기 때문에 그것을 사랑하는 것이다. 그녀는 파렴치한 여자의 삶에서는 비참함과 자포자기와 불명예와 치욕 밖에는 보지 못하기 때문에 미덕을 사랑하는 것이다."[203] 소피는 미덕을 팽개치는 여자는 자신은 물론 부모까지도 불행으로 끌어들인다는 걸 잘 알고 있다.

2 • 가족

결혼생활과 자유

루소는 행복한 결혼 생활에 대해 회의적인 편이다. 에밀의 교사는 결혼식을 갓 마친 에밀 부부에게 말한다. "나는 만약 사랑의 행복을 결혼 속에서도 연장할 수 있다면 지상에 낙원이 생길 것이라는 생각을 종종 했었네. 그런 일은 이제까지 한 번도 일어난 적이 없다네."[204] 루소는 연애시절에 기대했던 만큼의 행복한 결혼생활은 거의 불가능하다고 냉정하게 못 박음으로서 연인들의 기대를 꺾어버리고 있는 것이다. 하지만 바로 그 때문에 결혼생활에 대한 루소의 권고는 자세하고 구체적이다.

결혼 생활에서 중요한 문제의 하나는 부부간의 애정과 존중이 지속되느냐이다. 특히 문제가 되는 건 기질상 싫증을 잘 내는 남편의 애정이 식는 것이다. 루소는 일반적으로 여성이 끈기가 없다고 알려져 있지만 실제로는 남성이 행복한 사랑에 싫증을 더 잘 낸다고 하면서 애정이 식는 것을 방지하는 비법을 알려주겠노라고 하였다.[205]

그 하나는 우선 부부가 되었다고 해서 상대에게 구속을 가하거나 지배하려 하지 않는 것이다. 에밀의 교사는 에밀과 소피에게 당부한다. "부부가 되어서도 계속 연인으로 남아야 하네. 매듭은 너무 세게 죄려하면 끊어지는 법인데 결혼이라는 매듭에도 필요한 것보다 더 많은 힘을 주면 그런 일이 벌어진다네. 결혼이 부부에게 부과하는 정절이란 가장 신성한 것이지만 상대방에 대한 지배력은 불필요한 것이라네."[206] 흔히 결혼을 하면 사랑을 구실로 상대를 구속하고자 하는데 구속과 사랑은 어울리지 않고 기쁨은 억지로 생겨나는 것이 아니다.

사실 남편이 아내에게 싫증을 내고 눈길을 다른 곳으로 돌리는 데에는 아내의 속박도 큰 몫을 한다. "싫증나게 하는 것은 소유보다는 속박이어서 아내보다는 정부에게 훨씬 오래도록 애정을 간직하게 마련이네. 어떻게 가장 다정한 애무를 의무로 삼고, 가장 다정한 애정의 표시를 권리로 삼을 수 있겠는가? 권리를 만드는 것은 서로의 욕망일 뿐, 자연은 다른 권리를 인정하지 않네."[207] 남편과 아내는 서로 매력과 욕망을 통해서만 어필해야 한다. 애정의 표시를 마치 권리처럼 요구하는 건 오히려 애정과 욕망을 식게 만드는 속박인 것이다.

나아가 교사는 소피에게 남편의 애정 요구를 거절할 줄 알아야 한다고 충고한다. 남편이 권리나 의무로서가 아니라 자유로운 욕구와 열정으로 소피에게 다가오도록 하기 위해서이다. "소피, 당신 남편이 늘 당신 발밑에 엎드리는 것을 보고 싶으시오? 그렇다면 항상 그를 당신의 몸에서 어느 정도 떨어져 있게 하시오. 하지만 변덕을 부리지는 말고 겸손하시오…"[208] 남편이 아내의 냉정함에 불평하지 않고 아내를 존경하도록 만들려면 아내는 항상 조심스럽고 겸손해야 한다는 것이다.

사랑과 결혼

서로 애인처럼 대하라는 건 결혼생활을 마치 연애처럼 해야 한다는 말은 아니다. 결혼생활은 일상적인 삶이 큰 비중을 차지하므로 설레임과 열정보다는 편안함과 애정이 자리를 잡아야 한다. 그 점에서 우선 쾌락은 사랑도 행복도 지속시킬 수 없다는 걸 기억해야 한다. "아무리 조심을 하더라도 쾌락의 향유는 쾌락, 그리고 특히 사랑을 먼저 시들게 하는 법이오."[209] 루소는 쾌락은 강렬하지만 곧 사라지고 종종 고통이 뒤따르므로 사랑과 쾌락의 자리를 편안함과 신뢰로 채우라고 말한다. "사랑이 오래 지속되면, 안락한 습관이 사랑의 빈자리를 채우고, 격정이 물러간 자리에 신뢰의 매력이 자리 잡게 되오. 아이들은 그들을 낳아준 두 사람을 더욱 강하게 결합시킬 것이오. 더 이상 에밀의 애인은 아니더라도, 당신은 그의 아내가 되고 친구가 될 것이오. 그리고 아이들의 어머니가 될 것이오. 그리고 처음의 조심성 대신 더 없는 친밀감이 형성

되도록 하시오."[210] 결혼생활의 당연한, 그러나 잊기 쉬운 원리는 자기 집에 있기를 좋아하는 남자가 자기 부인을 사랑한다는 것이다. 가정 내 편안함과 신뢰 그리고 친밀함이 중요한 까닭이다.

그 점에서 결혼에 낭만적 사랑이 필수라는 건 착각일지 모른다. 쥘리는 옛 애인인 생 프뢰에게 결혼 후의 깨달음을 전한다. "나를 오랫동안 속였고 어쩌면 아직도 당신을 속이고 있는 것, 그것은 행복한 결혼을 위해서는 사랑이 반드시 필요하다는 생각이지요. 님이여, 틀렸어요. 두 배우자 사이에는 정직, 미덕, 그리고 신분이나 나이보다는 성격과 기질의 얼마쯤의 일치, 이런 것이면 족해요. 또한 이 결합에서 생긴 매우 다정한 애정은, 정확히 말해 사랑에 속하는 것은 아니지만, 사랑 못지않게 부드럽고 사랑보다 더 지속적입니다. 사랑에는 질투와 결핍의 끊임없는 불안이 뒤따라서 기쁨과 평화의 상태인 결혼에 별로 알맞지 않아요. 두 사람은 서로에 대해 생각하기 위해서가 아니라 시민 생활의 의무를 함께 완수하고 집안을 신중하게 다스리며, 아이들을 잘 기르기 위해서 결혼합니다."[211] 요컨대 결혼생활은 연애 때와 달리 삶의 여러 의무들을 함께 수행해야 하는 것이므로 굴곡 많은 사랑의 감정보다는 부드럽고 안정적인 애정과 친밀감이 더 요구된다. 따라서 결혼 상대를 고를 때 그리고 결혼 후에도 사랑의 감정을 최우선시 하고 또 요구한다면 그 사람은 결혼에 대해 착각하는 것일지 모른다.

그 점에서 쥘리는 연인 생 프뢰 대신 아버지가 선택한 볼마르가 남편감으로 적합하다고 말한다. "볼마르씨에 관해 말한다면, 우리를 결합하는 감정은 정열적인 마음의 맹목적인 격정이 아니라, 남은 삶을 함께 보내기로 예정되어 있어 운명에 만족하는, 그리고 그 운명을 서로에게 다사로운 것이 되게 만들려고 노력하는, 정직하고 합리적인 두 사람의 변함없고 항구적인 애정이에요."[212] 쥘리는 결혼생활에는 강렬하고 변덕스러운 사랑의 격정보다는 부드럽고 지속적인 애정이 적합하다는 걸 깨달은 것이다.

쥘리는 그 점에서 부부간에 감정과 성격이 꼭 일치할 필요는 없다고 하였다. 결혼생활에서는 다양한 삶의 의무를 수행해야 하는데 같은 성격이라면 오히려 단조롭고 활기가 없어질 수도 있다. 반대로 성격이 다르다면, 예컨대 쥘리는 활기를 주고 볼마르는 지혜를 주는 것처럼 서로 상대에게 없는 것을 줌으로서 서로에게 필요한 존재가 되는 것이다. 따라서 쥘리는 다시 선택한다 해도 볼마르를 남편으로 삼겠다고 하였다. "당신을 향한 이전의 감정들과 지금의 깨달음을 함께 지니고 자유롭게 내 의사에 따라 남편을 선택할 수 있다면, 그래도 나는 당신이 아닌 볼마르 씨를 선택하겠어요."[213] 『신엘로이즈』에서 부모가 정해준 중년 남자와 결혼한 여주인공은 다른 로맨스 소설의 주인공들처럼 결혼 후 옛 애인을 잊지 못하여 일탈하거나 방황하지 않고 오히려 결혼생활의 본질을 깨닫고 남편과 함께 행복을 찾고자 한 것이다.

사실 조금만 생각해보면 열정적인 혹은 로맨틱한 사랑은 결혼

생활에서 깨져야 할 환상이란 걸 알 수 있다. 쥘리는 말을 이어간다. "연인들이 할 줄 아는 유일한 일은 서로 사랑하는 것이지요. 보살펴야 할 다른 일들이 너무도 많은 부부들에게는 이것만으로는 충분하지 않아요. 사랑만큼 우리에게 강력한 환상을 품게 하는 정열은 없어요. 사랑은 젊음과 더불어 쇠퇴하고 아름다움과 함께 스러지며, 황혼의 나이에는 꺼져버려요. 그래서 이 세상이 생긴 이래 백발의 두 연인이 서로 사모하는 것을 볼 수 없었던 거예요."[214]

실제로 결혼생활에서 사랑에 연연하면 권태와 혐오 그리고 증오를 불러올 수 있다. 쥘리는 생 프뢰의 미련을 씻어주기라도 하려는 듯 재차 말한다. "열렬한 사랑은 조만간 끝나리라는 걸 이젠 염두에 두어야 해요. 그렇게 되면 섬기던 우상이 파괴되고, 서로를 있는 그대로 보게 되지요. 사랑하던 대상을 찾지만, 더 이상 발견할 수 없기에 그들은 남겨진 대상에 화를 내며, 너무도 강렬했던 감정에 권태가 뒤따르고 감정의 퇴색은 무관심에서 멈추지 않고 혐오로 넘어가고, 마침내 서로에게 완전히 질리며, 연인으로서 너무 사랑했기 때문에 배우자로서는 증오하게 될 염려가 얼마나 많이 있겠어요!"[215] 요컨대 열렬한 사랑은 맹목적 기대를 낳고 기대는 결혼 후 실망과 환멸로 이어지며 환멸은 미움을 예고한다. 그리하여 고결한 남자는 참을 수 없는 남편이 되며 수줍던 신부는 악에 받친 아내가 되어버리는 것이다.

결혼식

결혼과 연애가 다르다는 건 쥘리가 결혼식 날 그 성스러운 의미를 깨닫는 것에서도 볼 수 있다. 성경에 결혼의 순결과 존엄이 생생하게 표현되어 있거니와 사회의 질서와 평화를 위해서도 몹시 중요하고 또 그 자체로서도 몹시 즐거운 것이 결혼이다. '이 모든 것이 너무 강한 인상을 주어서 나는 내적으로 돌연한 혁신이 이루어진 것 같은 생각이 들었습니다.'[216] 쥘리에게 결혼식은 '하늘과 땅을 증인으로 삼은 신성한 약속'으로 다가왔던 것이다.

쥘리는 배우자를 성실히 사랑하고 정숙할 것을 다짐한다. "나는 하늘에 계신 절대자께 말했습니다. '저는 당신이 저에게 보내주신 배우자를 사랑하고 싶어요. 성실해지고 싶습니다. 이것이 가족과 사회 전체를 연결해주는 첫 번째 의무니까요. 정숙해지고 싶습니다. 이것이 다른 모든 미덕에 양분을 주는 첫 번째 미덕이니까요.'"[217] 쥘리는 배우자를 절대자가 보내주었다고 했는데 거기까진 아니더라도 수많은 남녀 중 두 사람이 만났다면 최소한 운명의 여신이 개입했을 가능성은 있다. 이처럼 결혼이 성스러운 것이라면 정숙함은 배우자 뿐 아니라 신에 대한 인간의 의무일 수도 있겠다.

나아가 결혼의 순결은 하객들이 모두 보호하고 보증하는 소중한 가치이다. 쥘리는 생프뢰에게 그 의미를 재차 강조하는데 사실 스스로의 다짐이기도 하다. "결혼의 순결을 더럽히지 말아야 하는 건 배우자들의 이익일 뿐만 아니라 모든 사람의 공통된 대의명분이기도 합니다. 하객은 이를테면 그들 앞에서 이루어진 협약을 보증하기에, 정숙한 부인을 감히 타락시키는 자는 누가 되었든 죄를 범하는 거예요. 왜냐하면 세상사의 정당한 질서 안에서 결혼 없이는 아무것도 존속될 수 없는데, 그 결혼의 공적이고 신성한 맹세를 어기니까요."[218] 결혼의 순결을 훼손시키는 것이 세상의 질서에 대해 죄를 짓는 것이란 말은 과장이 아니다. 그로 인해 가정이 깨진다면 그 울타리 안에서 살아가고 또 그와 연결된 사람들의 삶이 돌연 얼마나 상처를 입고 흔들리는가! 그 점에서 결혼식 하객들은 순결의 서약을 보증하는 일종의 공동 보증인들로서 어깨가 가볍지 않은 셈이다. 그렇다면 하객을 초대할 때도 좀 더 신중해져야 하는가?

루소가 볼 때 여성의 순결을 보호하는 가장 큰 가치는 정숙함이다. 남편 없이 생 프뢰와 집에 둘만 남겨지는 상황에 대해 쥘리가 걱정하자 사촌 클레어가 답한다. "온건하고도 조심스럽게 정숙함을 유지하는 일이야말로 순결을 확실하게 보호하는 거야. 남자들의 마음속에 욕망과 존경을 동시에 키우는 것도 바로 이 주의 깊고도 자극적인 조심성이야."[219] 정숙함의 사전적인 뜻은 조용하고 얌전하다는 것이다. 정숙한 여자가 꼭 자극적인 면이 없다고 할 순 없지만 일단 유혹자가 쉽게 유혹할 엄두를 내지 못한다는 점에서 순결을 보호할 가능성이 더 크다. 루소는 정숙함을 '현명하고 사려 깊은 조심성'이라고 표현했는데 정숙한 부인은 또한 그 덕분에 남편의 애정과 관심을 유지시킬 수 있다.

아내의 능력

루소는 가정생활에서 아내가 남편을 지배할 수 있는 능력이 있다고 하였다. 그리고 그것은 제도로 보장된 권리가 아니라 상냥함과 재치 그리고 호의에서 나오는 다소 은밀한 지배력이라고 하였다. 겉보기에는 남편이 권력을 행사하는 것 같지만 실질적인 권위는 여성이 가진다는 것이다. "여성은 국가를 다스리는 재상처럼, 자신이 하고 싶은 것을 남편이 자기에게 명령하게 하면서 집안을 다스려야 한다."[220] 여성은 주군에게 넌지시 제안 혹은 암시함으로써 자신이 원하는 바를 이루는 현명한 재상처럼 남편의 권위를 세워주면서 사실은 여성 자신이 원하는 것을 남편의 입을 통해 얻어내야 한다는 것이다. 이쯤 되면 가정 내 여성의 지배는 거의 통치술의 차원이다. 다만 유의할 것은 여성의 권위는 간접적이며 우회적이어야지 공개적이고 직접적인 것이 되면 불화와 안 좋은 소문들을 낳는다는 점이다.

여성의 교육을 다룬 8장에서 자세히 보겠지만 여성의 다정다감함이 남성을 지배하고 여성의 약한 힘이 남성의 강한 힘을 부릴 수 있다는 것은 새로운 발견이었다. 루소에게는 여성 독자들이 특히 많았는데 그들이 열광한 이유는 루소가 여성들이 '더 훌륭한 대우'

를 받아야 한다는 걸 제안했기 때문이다.[221]

시골생활과 가족

『신엘로이즈』에서 생 프뢰는, 여성들은 일반적으로 쥘리의 클라랑 장원에서와 같은 시골 생활을 견디기 어려울 것이라고 하였다. “많은 여자들에게 이 생활은 참을 수 없는 것이어서 아마 비탄에 잠길지 모릅니다. 아이들의 소동에 화를 낼 것이고, 집안일을 지겨워할 것이며, 전원을 견딜 수 없을 겁니다… 은거지의 매력을 느끼려면 건전한 영혼이 필요하지요. 선량한 사람들만이 가족 안에서 기쁨을 느낄 수 있고 또 자발적으로 가족 안에 있으려고 합니다. 이 세상에 행복한 생활이 있는 거라면 그것은 틀림없이 이런 식의 생활이지요.”[222] 시골생활은 가족생활과 집안일 위주로 흘러가는데 선량하고 소박한 영혼을 가진 사람만이 그런 평범하고 단조로운 생활에서 기쁨을 느낄 수 있는 것이다.

시골 생활의 지루함을 이겨내려면 우선 집안일을 자기 손으로 하는 것이 필요하다. “이 집 사람들은 모두 집안일들을 손수 하기 때문에 지루함이나 한가함을 느낄 겨를이 없지요. 따라서 이웃들과의 왕래에 많은 시간을 쓰지 않아요. 이 집 사람들은 손님들을 언제나 환영하면서도 그들이 오는 것을 바라지는 않아요. 밭일이 오락을 대신하는 데다 가족 안에서 감미로움을 발견하는 사람에게는 다른 교제가 모두 무미건조한 것이지요."[223] 루소의 말처럼 가족 안에서 행복한 사람은 타인과의 교제에 별로 가치를 두지 않는다면, 바깥 모임을 좋아하는 사람은 가족 안에서 즐거움을 찾지 못했을 가능성이 크다고 할 수 있지 않을까?

주부는 자기 의무를 완수하면 누구에게든 당당할 수 있다. "주부들이여, 당신들이 모든 의무를 훌륭하게 완수하면 누구에게나 그의 의무를 완수할 수 있도록 요구할 수 있을 겁니다. 부인다워지고 어머니다워지시길, 그러면 이 세상에서 가장 감미로운 위력은 또한 가장 존중받는 위력이 될 것입니다."[224] 자녀를 양육하고 가족을 돌보는 여성의 의무는 가장 자연적이고 보편적인 일이기 때문에 의무를 다하는 여성은 누구에 대해서도 당당한 권리와 자부심을 가질 수 있는 것이다. 다만 가정과 가족을 돌보는 일이 '감미로운' 일이라는 루소의 관점에 대해 저항감을 느낄 여성들이 있을 수도 있겠다. 이에 대해서는 8장 '여성의 교육'을 다룬 부분에서 살펴보고자 한다. 어쨌든 루소는 가족을 돌보는 여성의 역할 자체가 달콤하고 감미로운 힘이며 나아가 여성은 그 덕분에 존경도 받을 수 있으니 일거양득이라는 입장이다.

실제로 아내는 어머니로서 모유 수유 등 아이 양육에 정성을 들이는 만큼 남편으로부터 더 존중을 받을 수 있다. "가정생활의 매력은 악습에 대한 최상의 해독제이다. 성가시게 여겨지는 아이들의 소동이 기분 좋은 일이 되고, 그로 인해 어머니와 아버지는 서로를 더욱 필요하고 소중한 존재로 여기며 부부의 정을 돈독히 하게 된다."[225] 루소는 부부가 가정에 몰두하면 부부 사이는 더 가까워질 뿐 아니라 집안일은 남편에게 가장 감미로운 즐거움이 된다고 하였다. 루소는 집안일을 함으로서 남편과 아내가 누리는 기쁨을 말했지만 실제로 일상에서 단 몇 분의 여유도 누리기 어려운 현대 가장들에게 아이 돌보기, 청소, 설거지 등 집안일은 자기 스스로 얼마나 주의와 정성을 쏟느냐에 따라 뜻밖에 명상의 시간이 될 수도 있다.[226]

부모

가정에서 자녀에 대한 최상의 교육은 부모가 즐겁고 행복한 생활의 모범을 보이는 것이다. 생 프뢰는 쥘리의 가족을 보고 느낀 바를 에드워드 경에게 전한다. "자신을 위해서가 아니라 아이들을 위해서 살 뿐인 아버지들은 아이들에게 생활의 모범과 행복의 모범을 보여야 한다는 것을 전혀 고려하지 않는다는 게 느껴지지요. 훌륭한 아버지의 주요 의무 가운데 하나는 아이들이 기뻐하도록 거주지를 쾌적하게 하는 것뿐만 아니라, 그들이 아버지처럼 생활하면서 행복할 수 있다는 것을 느끼도록, 아버지 자신이 유쾌하고 부드러운 생활을 해야 하는 것이라고 이 집 사람들은 생각합니다. 부모의 한심하고 저속한 생활은 거의 언제나 아이들의 방탕의 첫 번째 원천입니다."[227] 부모들이 흔히 저지르는 과오는 자기 삶을 돌보지 않고 자녀에게 모두 베푸는 것이다. 그러나 부모가 자녀에게 힘겹게 헌신하느라 행복을 누릴 여유가 없다면 자녀는 유쾌하고 행복한 생활의 모범을 어디서 찾을 것인가? 만약 집 밖에서 찾는다면 그것이 과연 바람직한 본보기일까?

6장 의료와 건강

1 • 의술

나는 책머리에 의술에 대한 루소의 생각을 간략히 소개한 바 있다. 당대의 의술에 대한 루소의 비판의 골자는 그에 대한 사람들의 의존이 심화된다는 것이었다. 18세기에 의술은 널리 확산되었으나 루소는 그것을 긍정적으로 보지 않았다. 그의 눈에 의술은 상류층의 건강 염려증에서 나온 일종의 소일거리 정도로 보였던 것이다. "오늘날 의술은 무위도식하고 빈둥거리는 사람들에게 위안거리가 된다. 이런 사람들은 남아도는 시간을 어떻게 보내야 할지 몰라 자신의 몸을 보존하는데 시간을 소비한다... 의사는 그들의 비위를 맞추며 그럴듯한 위협을 하고..."[228]

루소가 그처럼 의술에 회의적이었던 이유는 우선 당시 의술의 수준이 실제 건강에 별로 도움이 되지 않았다는 점 때문이다. 그는 의사가 병을 낫게 한 경우보다 그렇지 못한 경우가 훨씬 많다고 확신했다. 루소는 의사가 환자를 치료하면 늘 병이 낫는다는 것은 마치 진리를 탐구하면 늘 진리가 발견된다는 가정만큼이나 궤변이라고 하면서 의술의 효과를 의심했다. "사람들은 의사가 한 명의 환자를 치료하여 얻는 이득과 그가 죽인 100명의 환자의 죽음을 저울질해보아야 한다는 사실은 알지 못한다."[229] 루소의 말이 과장되고 18세기 의술과 현대의 의술은 비교 불가라는 점은 인정하더라도 의술에 득 못지않게 실이 많다는 지적은 경청할 필요가 있다.

루소가 의술의 더 큰 폐해로 지적한 것은 사람들을 예속시킨다는 점이다. "의사들은 당신의 불안한 상상력에 날마다 죽음을 환기시킨다. 그들의 거짓 기술은 당신의 생명을 연장해주는 게 아니라 생명의 즐거움을 빼앗아 간다."[230] 의술이 삶의 기쁨을 앗아간다는 지적은 현대인에게도 적용되는 말이다.

따라서 루소는 의사에게 의존함으로서 불안과 두려움 속에 살기보다는 차라리 병을 앓고 죽든지 아니면 낫든지 하라고 권한다. 얼마를 살든 삶의 마지막 순간까지 사는 것처럼 살라는 것이다. "자연에 순응하여 살고 참을성 있게 기다리고 의사를 쫓아내라. 당신은 죽음을 피하지 못하겠지만 딱 한번만 죽음을 느낄 것이다."[231] 불안 없이 살다가 딱 한번만 죽는 것과 계속 두려움을 안고 좀 더 오래 살다가 결국 죽는 것, 둘 사이에 무엇을 택할 것인가.

루소에 따르면 육체적인 고통은 스스로 소멸되거나 아니면 우리를 파괴시킨다. 따라서 시간이 흘러 저절로 낫거나 아니면 죽는 것이 고통의 치유책이며 그것이 자연에 부합하는 방식이다.[232] 하지만 인간은 다른 동물들과 달리 고통을 견딜 줄 모르기 때문에 질병 자체의 고통은 물론 그것을 치유 혹은 회피하기 위한 수고와 고통을 추가한다.

물론 사람들은 루소의 비판이 비약적으로 발달한 현대 의술에는 적합치 않다고 말할 것이다. 그럼에도 루소에게서 귀담아 들을 부분은 의술이 병에 대한 공포심을 심어주어 정신적으로 유해하다는 점이다. "나의 목표는 단지 의학을 정신적 측면에서 고찰하는 것뿐이다. 이 기만적인 기술은 죽음을 후퇴시키기보다 미리 느끼게 하며 생명을 연장시키기는커녕 마모시킨다. 설사 생명을 연장시킨다 하더라도 그것은 인류 전체에게는 여전히 해가 될 것이다. 왜냐하면 그것은 치료를 강요함으로서 우리를 사회로부터 격리시키고, 공포를 심어줌으로써 우리의 의무를 수행하지 못하게 만들기 때문이다."[233]

이처럼 의술은 신체를 치료할지 모르지만 사람의 용기를 죽여버린다. 의술에 의존하면서 죽음의 두려움에 떨다가 결국 생을 마감하는 인간의 모습은 자연에 어긋난 것이다. "인간은 본래 다른 동물들처럼 끈기 있게 고통을 견딜 줄 알고 평화롭게 죽음을 맞이하는 존재이다. 짐승은 병이 들면 말없이 고통을 견디면서 꼼짝하지 않는다. 그런데 쇠약한 인간이 쇠약한 동물보다 더 많다. 초조함, 두려움, 불안, 그리고 특히 약은 저절로 병이 낫거나 시간이 지나면 치유되었을 사람들을 얼마나 많이 죽였던가!"[234]

루소의 결론인 즉, 의술은 압도적으로 유용하지 않으면 득보다

실이 많다. 왜냐하면 그로 인해 시간과 사람과 사물이 허비되기 때문이다. "생명을 보존하느라 보내는 시간은 삶을 사는 시간을 허비한 것이기 때문에 그 시간을 빼야 한다... 의사 없이 10년을 산 사람은 30년 동안 의사들의 희생물로 살아온 사람보다 자기 자신을 위해서나 타인을 위해서나 더 많이 산 셈이 된다. 그 경우를 다 경험한 나는 그 누구보다 이런 결론을 내릴 수 있는 자격이 있다고 생각한다."[235]

따라서 루소는 아주 긴박한 상황에서만 의사를 찾아야 한다고 하였다. "나는 나 자신을 위해 결코 의사를 부르지 않음은 물론 에밀을 위해서도 그의 생명이 명백히 위태로운 경우가 아닌 한 의사를 부르지 않을 것임을 선언한다. 왜냐하면 그 때는 죽이는 것 말고는 더 나쁜 짓을 그에게 할 수 없기 때문이다."[236]

사실 의술에 대한 루소의 불신은 자기 경험에서 나왔다. 그는 어릴 적부터 죽는 날까지 병에 시달렸기 때문에 의술을 접하고 그에 대해 생각할 기회가 많았다. "나는 방광이 선천적으로 기형이어서 유년기에는 거의 지속적인 요폐증으로 시달렸다. 젊은 시절 동안 건강이 매우 좋아져서 30살이 되도록 거의 유년기의 지병을 느끼지 않고 살아왔다... 그런데 갑작스런 발병으로 내 치료를 맡았던 의사들이 족히 병만큼이나 내게 해를 끼쳤다고 생각한다. 나는 여러 의사들을 차례로 보았는데 매우 박식하고 내 친구들이기도 한 그들 모두는 각기 자기 방식대로 나를 치료했다. 그러나 병세는 조금도 가벼워지지 않았고 나는 상당히 쇠약해졌다. 그들의 지시를 따를수록 안색은 노래지고 몸은 마르고 기력은 약해졌다. 겁을 먹은 나는 죽기 전까지는 요폐와 신장 결석과 요도 결석 등 오직 고통의 연속일 것이라고 상상했다."[237]

그 후 루소는 오히려 의술에서 벗어남으로서 건강을 회복했다. 그는 병을 의식하지 않고 약이나 기타 처방을 무시함으로써 육체와 정신의 건강을 회복했던 것이다. "나는 생제르맹 숲으로 7, 8일 동안 여행했다... 이 산책과 소일거리는 내 기분과 건강에 대단한 효과가 있었다. 벌써 몇 년 전부터 나는 그놈의 요폐증으로 고생하며 의사들에게 완전히 몸을 맡기고 있었다. 그렇지만 의사들은 내 고통을 덜어주기는커녕 오히려 내 체력만 소모시켰고 내 체질을 망쳐놓았다. 그러던 것이 생제르맹에서 돌아온 후에는 기운도 훨씬 더 나고 건강도 훨씬 더 좋아진 느낌이 들었다. 그래서 나는 이 방침을 따랐다. 의사도 약도 없이 병에서 낫든지 그대로 죽든지 할 결심을 하고 의사들과는 영원히 작별했다. 그리고 외출할 수 없으면 조용히 있고 걸을 힘이 나면 곧 걸어 나가는 식으로 그날그날 살아갔다."[238]

내 경우를 고백한다면, 나도 의술에 대한 낯가림이 있는데, 그것은 루소의 경우처럼 의술의 효과에 대한 불신에서 비롯된 것이 아니라 대형병원의 분위기에 대한 어떤 거부감 그리고 '견디다보면 낫겠지'라는 막연한 믿음에서 나온 것이다. 그렇다고 내가 병원에 가지 않는다거나 건강검진을 하지 않는 건 아니고 다만 아주 아플 때만 가고 미루고 미루다 재촉을 받으면 검진을 하는 정도이다. 물론 이런 얘기는 아직 중한 병을 앓아보지 않은 사람이 하는 경솔한 말일 수 있다. 감안하고 들어주시라.

루소의 경우 의술과 작별하면서 오히려 병이나 죽음에 대한 두려움과 불안으로부터 해방된 느낌이었다. 하지만 루소는 요폐증 외에도 여러 질병에 시달렸는데 동맥의 심한 고동과 귀 울림 등에 심한 불면증까지 겹쳐 마침내 살날이 얼마 남지 않았다고 확신하게 되었다. 그런데 이런 확신은 오히려 병을 고치려고 애쓰던 그를 진정시켰다. 얼마 남지 않은 인생을 되도록 온전히 활용하기로 결심한 것이다. "나는 나 자신을 죽은 사람으로 여겼을 때 비로소 살기 시작했다고 분명히 말할 수 있다."[239] 혹시 병을 낫지 못하면 죽을지도 모른다는 두려움이 아니라 루소처럼 '지금 죽는다 한들 뭐 어떤가'하는 자세로 죽음을 그저 계절의 바뀜 같은 자연의 섭리로 받아들이면 신체적 고통은 아니더라도 최소한 정신적 고통은 면할 수 있을 것이다.

루소는 실제로 병에 대한 불안이나 치유에 대한 기대를 벗어버림으로서 삶을 더 충실히 살 수 있었다. "나는 하루하루를 내 마지막 날처럼 여기면서도 내가 계속해서 살 것이 틀림없는 것처럼 열심히 공부했다. 사람들은 이런 공부가 건강에 해롭다고들 했지만 나로서는 그것이 정신적으로뿐 아니라 육체적으로도 좋았다고 생각한다. 그도 그럴 것이 내가 열중했던 이런 공부가 하도 재미있어서 내 병들을 더 이상 생각하지 않게 되어 병들에 훨씬 덜 영향을 받게 되었기 때문이다."[240] 루소는 병에 되도록 무관심해야 덜 아프다는 '발견'을 한 것으로 보인다.

사실 육체의 노쇠화는 누구든 피할 수 없는 숙명이므로 오히려 인정함으로써 그로부터 자유로움을 느낄 수 있다. 루소가 그러했다. "마침내는 내 육체가 줄곧 천천히 쇠약해지는 것을 오직 죽음만이 멈추게 할 수 있는 어쩔 수 없는 진행으로 보는 습관이 들었다. 나는 이런 생각으로 그때까지 억지로 받아온 귀찮은 치료로부터 해방되었다... 나는 나를 구할 수 없다는 확신이든 약을 먹지 않게 되었고 엄격한 식이 요법도 그만두었다. 다시 포도주를 마셨고 체력이 허락하는 정도에서 매사 절제는 하지만 무엇 하나 금하지는 않으면서 건강한 사람의 생활 상태로 완전히 되돌아갔다... 아무튼 내게는 죽음에 대한 예상은 학문에 대한 취미를 감퇴시키기는커녕 오히려 그것을 부추기는 것 같았다."[241] 루소는 만 66세로 세상을 떠났는데 당대의 평균 수명보다 적어도 15년 이상은 더 산 셈이었다.

의술에 대한 루소의 비판은 확실히 18세기에 해당되는 것이지 압도적으로 발달한 현대 의학에 해당되는 것은 아니다. 현대 의료 체계가 상당히 권위적이고 환자의 순종을 요구하지만 어쨌든 결과로 보여주고 있기 때문이다. 다만 루소의 의술 비판에서 눈여겨

볼 부분은 의술에 대한 과도한 의존으로 병 자체의 고통에다 정신적 고통을 더하게 된다는 점이다. 내 몸은 내가 지킨다는 생각으로 운동과 식이요법을 열심히 하고 꼭 필요한 경우에만 의사와 의술에 의존하겠다는 생각이 없으면 삶의 자유와 활기는 시들어버릴 수 있다.

2 • 건강

식사

루소는 의술보다는 생활습관을 통해 건강을 유지하는 법에 관심을 쏟았다. 그가 실천한 방법은 주로 음식의 절제와 걷기였다. 『에밀』에서 루소는 "노동은 인간의 식욕을 증진시키고 절제는 식욕의 남용, 즉 과식을 막아준다. 절제와 노동을 권장하는 위생학은 인간을 치료하는 진정한 의사이다"라고 하면서 노동과 소식을 강조했다.[242] 음식과 운동을 통한 건강 유지와 질병 예방은 현대인들도 공감하는 처방이다.

우선 음식에 있어 루소는 평상시 간소하고 소박한 식사를 즐겼다. "우리들의 쾌락을 묘사할 수 있다면 사람들은 그 순진함에 웃지 않을 수 없을 것이다. 요리라고 해야 시골에서 만든 큰 빵을 넷으로 쪼갠 한 조각, 약간의 체리, 조그마한 치즈 한 조각, 우리 둘이서 마시는 포도주 두 잔 정도가 전부였다. 이런 식사의 매력을 누가 묘사할 수 있으며, 누가 그것을 느낄 수 있으랴! 우정, 신뢰, 친밀감, 부드러운 마음씨, 이것들은 얼마나 구미를 돋우는 양념인가!"[243] 누가 보더라도 빈약하지만 그에게는 매력이 넘치는 식사였다.

그는 또한 채식을 즐기고 예찬했다. 그는 육식을 하면 설사를 유발하고 몸속에 기생충도 더 많이 생긴다는 걸 경험으로 안다고 하였다.[244] 그의 채식주의 신념은 육식의 위험에 대한 빈약한 지식에서 나오기보다는 소박한 자연주의자로서의 통찰이 작용하지 않았나 싶다. 그는 어쨌든 담백한 식사 그리고 조미하지 않은 음식을 권했다. "기름기 없는 식사는 유모에게 변비를 일으키기는커녕 젖의 양을 더 풍부하게 하고 젖의 질을 더 좋게 만들어줄 것이다. 채식이 어린아이에게 가장 좋다는 것은 알려져 있는 바인데, 유모에게는 육식이 가장 좋을 수가 있겠는가?"[245] 당시 유모에게 젖의 질을 좋게 하고 양도 많아지게 하려고 고기 삶은 국물을 먹도록 한 것에 대한 비판이었다.

루소는 음식에 있어 정신적 욕망과 감각적 욕구를 구분했으며 전자를 거부하고 후자에 의지하였다. 예를 들어 음식을 먹을 때 감각적 욕구인 미각과 포만감, 즉 맛있는 음식을 충분히 섭취한다는데 역점을 두면 식욕은 과도하게 커질 염려가 없다. 아무리 맛있다고 한들 한 끼에 두 세 그릇을 먹기는 어렵기 때문이다. 반대로 정신적 욕망, 예컨대 아주 비싼 음식 혹은 유명 셰프가 만든 음식을 맛보고 싶다는 등의 허영심은 자연적 욕구의 범위를 벗어난 것으로 과도하게 커질 우려가 있다. 루소의 말을 들어보자. "그(루소)는 사람들이 맛있다고 하는 것보다 자기 입맛에 맞는 음식을 추구하며 호기심에서 이것저것 기웃거리지 않는다. 또한 식욕에 있어 사치와 허영을 배제하므로 희소성 있는 음식이라든가 고급 요리 혹은 공들인 비싼 음식을 좋아하지 않는다. 그래서 그의 식사는 주로 한 가지 요리로만 이루어지는 경우가 대부분이다."[246] 사실 음식 뿐 아니라 삶에 필요한 모든 물건들을 정신적 욕망이 아닌 실제 감각의 욕구를 충족시킨다는 생각으로 구매하면 지금보다 시간, 에너지 그리고 돈을 훨씬 더 아낄 수 있을 것이다.

그런가하면 루소는 욕구를 억제하는 경우에도 세심하게 접근하여 전면적인 금지가 아닌 여유 있는 자제를 권한다. "완전한 금지는 그에게 고통을 줄 수도 있습니다. 그 때는 상상력이 그를 괴롭히니까요. 반면에 뭔가를 가지고 있는 상황에서 절제하는 것은 전혀 대가를 치르게 하지 않습니다. 그 때는 상상력이 작용하지 않기 때문입니다."[247] 이는 욕구에 있어 불가능한 것을 전면 금지하기보다 충족 가능한 것을 자제하는 습관을 들이는 삶의 지혜라 할 것이다. 돈이 없어서 원하는 대상을 얻지 못하는 경우 실제적 불편에 심리적 좌절감이 더해지지만 돈이나 능력이 있음에도 욕구를 자제한다면 심리적 박탈감이 없음은 물론 자기 제어라는 만족감까지 들 수 있다. 물론 이는 모든 이에게 적용되는 건 아니라고 할지 모른다. 하지만 누구나 자기 능력의 범위 내에서 절제는 가능하며 또 필요하다.

욕구 절제에 관해 루소는 좀 더 구체적으로 말한다. "그는 즐기는 것을 멈추기 위해 욕망이 멎기를 기다리지 않습니다. 욕망이 약해지는 것으로 충분하지요. 그리고 그가 즐기기를 좋아하는 것은 욕망을 가진 후일뿐입니다."[248] 그는 두 가지 노하우를 말하고 있는데, 그 하나는 욕구가 완전히 사라질 때까지 기다리지 않고 그것이 줄어드는 적당한 선에서 중단하는 것이다. 실제로 미각을 섬세하게 의식하다보면 아무리 맛있는 음식이라도 미각이 조금씩 무뎌지기 시작하는 순간이 온다. 그 때 음식 섭취를 자제한다면 미각의 충족을 극대화하면서도 과식이나 탐식을 억제할 수 있다. 그에 관해 적절한 예라면 단연 술자리일 것이다. 젊었을 때 얘기지만 시원한 술 한 잔과 기름진 안주 생각 때문에 시작한 술자리가 그 욕구를 이미 채웠음에도 불구하고 계속 이어지면서 술과 안주를 끝없이 먹게 되고 결국 미각의 만족은커녕 미각 자체를 의식하지 못하는 지경에 이른 경험이 한 두 번이 아니었던 것이다.

다른 하나는 욕구를 충족시키기 위해 미리 서두르지 않는다는 것으로 역시 욕구 절제의 노하우라 할 수 있다. 예를 들어 늦은 점심을 먹은 탓에 배가 고프지 않은데도 저녁 식사시간이 되었다고 밥을 꼬박꼬박 찾아먹는 것이 그에 해당한다. 루소는 식사에 있어 식욕 자체가 요구할 때를 기다렸다가 음식을 먹는다고 하였는데 이는 습관보다 감각을 우선하는 것이다.

물론 그렇게 하기 위해서는 자신의 미각이나 감각을 세심하게 느낄 필요가 있다. 루소는 감각적인 사람들을 옹호하는데 그들은 오직 감각이 좋아하는 것을 추구하고 감각이 싫어하는 것을 피하는 사람, 즉 본성을 따르는 자연인이라는 것이다. 반대로 감각을 따르지 않고 생각을 따르는 사람들은 대상을 있는 그대로 즐기기보다는 소유를 통한 독점을 추구하며 실질적인 즐거움보다는 과시적인 기쁨을 누리려 한다. 따라서 감각적이라거나 감성적이라는 말은 나쁜 의미가 아니며 요즘 유행하는 과시적 명품족에게 해당하는 말도 아닌 것이다.

걷기

음식과 함께 루소가 건강 유지의 비결로 삼은 것은 걷기였다. 루소는 여행할 때 말이나 마차 대신 도보 여행과 산책을 즐겼다. 그 이유는 무엇보다 자유가 주는 기쁨 때문이었다. "나는 말을 타고 가는 것보다 더 유쾌한 여행방법을 딱 하나 알고 있는데 그것은 걸어가는 것이다. 자기가 원할 때 출발하고 마음대로 멈추고 내키는 만큼 많이도 적게도 걷는다. 말이나 마부에 매이지 않는다."[249] 도보 여행은 오직 자신에게만 매여 있으므로 자기 뜻대로 할 수 있는 것이다. 따라서 그는 장거리 여행을 할 때도 날씨가 나쁘지 않는 한 되도록 마차나 말을 타지 않으려 했다.

도보 여행이 주는 활기와 적당한 피로감은 기분, 식사, 수면에 도움을 준다. "나는 근사하고 편안한 마차를 타고 여행하는 사람들이 생각에 잠겨 우울해하고 투덜거리거나 괴로워하는 반면, 보행자들은 언제나 유쾌하고 경쾌하며 매사에 만족해하는 것을 늘 보아왔다. 숙소가 가까워지면 마음이 얼마나 즐거워지는가! 얼마나 즐겁게 식탁에서 휴식을 취하는가! 불편한 침대에서도 얼마나 단잠을 자게 되는가!"[250]

그가 한 여행들 중 가장 기억에 남는 것도 단연 도보여행이었다. 그는 16세 때 토리노로 향했던 도보여행을 평생 기억했다. "내가 살아오면서 그처럼 심신이 행복한 상태에 있었던 적은 없었다. 나는 전 생애를 통하여 이 여행에서 보낸 7, 8일 동안만큼 완전히 근심걱정 없이 여가를 가졌던 적은 기억나지 않는다. 그러나 얼마 지나지 않아 곧 의무라든가 용건이라든가 들어야 할 짐 때문에 어쩔 수 없이 신사인 체하고 마차를 타야했다. 그랬더니 마음을 괴롭히는 근심, 걱정거리, 거북함이 함께 마차에 올라탔다. 예전에 여행할 때는 가는 즐거움을 느낀 데 반해 그때부터는 도착할 필요 외에 더 이상 다른 것을 느끼지 못했다."[251] 루소에게 도보 여행과 마차 여행은 아예 비교 대상이 아니었다. "좋은 날씨에 아름다운 고장에서 여유롭게 걸어서 길을 가는 것, 그리고 내 여정의 끝에 즐거운 목적이 있는 것이야말로 모든 생활양식 중 가장 내 취향에 맞는 것이다."[252]

뿐만 아니라 걷기는 작가인 루소에게 정신의 활기를 부여했다. 그는 혼자 걸어서 여행했을 때만큼 많이 생각하고 충만한 존재감을 느끼며 완벽히 자기 자신이었던 적은 결코 없었다고 하였다. 꼼짝 않고 있으면 거의 생각도 할 수 없는 반면 걸을 때는 무엇인가가 생각에 생기를 돋우어주고 활기를 불어넣는다는 것이다.[253]

루소는 정신을 움직이기 위해서는 먼저 육체가 움직여야 한다고 생각했다. "내가 걸으면서 얻는 전원의 전망과 잇달아 펼쳐지는 유쾌한 경치와 깨끗한 야외의 대기와 왕성한 식욕과 넘치는 건강, 주막에서의 자유, 내가 구속당하는 것을 느끼게 하고 또 내 처지를 상기시키는 일체의 것을 잊어버리는 것…"[254] 그는 이 모든 것이 영혼을 해방시켜 더욱 대담하게 생각할 용기를 준다고 하였다.

7장

돈, 소비, 일

1 • 돈

돈과 예속

루소는 돈에 대해 '가지고 있을 때 돈은 자유의 도구이지만 쫓아다닐 때 돈은 예속의 도구이다'라고 하였다. 이는, 같은 돈을 어떻게 대하느냐에 따라 자유와 예속으로 갈리는 것처럼, 돈 자체보다 돈에 대한 생각과 태도가 더 중요하다는 말이다. 루소의 태도는 돈을 멸시하지 않지만 숭배하지도 않는 것이었다. 그에게 돈이란 목적으로 추구할 경우 거기에 예속되지만, 잘 사용하면 생활을 자유롭고 풍성하게 해주는 수단이었다.

돈에 있어 흔히 문제가 되는 것은 돈 자체를 목적으로 추구하는 소유욕이다. 소유욕이 없는 사람은 소유물이 있건 없건 간에 자유롭다. 물론 소유물이 있다면 더 바람직하겠지만 소유물이 없더라도 소유욕이 없으면 크게 부자유하거나 예속적이지 않다. 반대로 소유물이 많다 해도 소유욕에 사로잡힌다면 그의 삶은 자유롭다고 하기 어렵다.

소유보다는 자유를 우선하는 루소의 신조가 실제로 드러난 것은 앞서 언급한 루이 15세에 대한 알현 거부였는데, 루소는 왕과의 만남에서 연금을 받게 될 경우 그것이 자신의 자유를 저해할까 우려한 나머지 그 기회를 스스로 뿌리친 것이다. "나는 말하자면 내게 주어진 연금을 잃은 것이 사실이다. 그러나 나는 또한 연금이 내게 부과했을 속박도 면했다. 이 연금을 받으면 이제는 아첨하거나 침묵을 지키는 수밖에 없다. 더구나 연금 없이 지내기보다 그것을 보존하기 위해서 나는 그 대가로 훨씬 더 많이 그리고 훨씬 더 유쾌하지 못하게 마음을 써야 할 것이다. 그러므로 나는 연금을 포기함으로써 내 원칙에 매우 부합하는 방침을 내리고… 건강을 핑계로 대고 바로 아침에 떠났다."[255]

그러나 루소는 자기처럼 가난한 처지에 독립적으로 된다는 것이 쉽지 않다는 걸 알았다. 1757년 10월 초에 데피네 부인에게 보낸 편지에서, 그는 친구들이 자기의 가난을 이용해 자신이 할 일까지 대신 결정해주는 것에 대해 분노했다. 그는 주장하기를 친구는 주인이 아니고 호의는 강요되는 순간 더 이상 호의가 아니며 자신의 최고 가치인 자유를 제한하는 것이라고 하였다.[256] 그는 친구들에게 감사를 표시해야 하는 상태와 우정은 양립할 수 없다고 말했다. 그에게는 타인의 호의에 대해 감사를 표한다는 것 자체가 견딜 수 없는 부담이었던 것이다. 실로 돈 없이 독립적으로 되려면 갈등과 압박은 피하기 어려웠다.

루소는 자기 스스로 돈에 인색하다고 했는데 그것은 가난이 초래할 예속과 불편이 두려웠기 때문이다. "이것을 이해하고 나면, 이른바 나의 모순적 성격들 중 하나를 이해할 것인데, 그것은 돈을 더할 바 없이 경멸하면서도 거의 치사스러울 정도로 인색하다는 것이다... 나는 재정적으로 불안정한 내 처지 때문에 걱정이 끊이지 않는다. 나는 자유를 사랑하고 불편함과 수고와 예속을 싫어한다. 내가 지갑에 돈을 갖고 있는 동안 돈은 내게 독립을 보장한다. 그리고 그 덕분에 돈을 더 벌려고 동분서주하지 않아도 되는데, 돈을 버는 일은 꼭 필요하기는 하지만 내가 늘 싫어하는 것이었다."[257] 한 마디로 루소는 돈을 모으기 위해서가 아니라 돈이 떨어지는 것이 무서워서 돈을 애지중지한다. 사실 루소만 그런 건 아니다. 넉넉지 못한 사람은 누구나 다 돈이 떨어 질까봐 아낄 수 밖에 없기 때문이다.

돈과 즐거움

루소 역시 돈으로부터 자유롭지 못했음은 분명하다. 다만 그에게서 눈여겨 볼 것은 그는 돈을 버는 일을 싫어했기 때문에 돈을 더 벌려고 하기보다는 돈을 아끼거나 혹은 최소 지출로 삶에서 즐거움과 행복을 찾고자 했다는 점이다. 이는 행복의 수단을 부에서 찾기보다는 사소한 인생의 즐거움에서 찾는 것, 다시 말해 우리 능력 범위 내에 있는 좋은 것들로 삶을 채우는 것이다.[258] 물론 그러기 위해서는 가까이 있는 좋은 것을 느끼고 사랑하는 법을 배워야 한다. 돈으로 할 수 있지만 돈이 아니어도 할 수 있다면 그것이 더 자유로운 상태이다.

루소는 그 중 하나로 식사를 예로 든다. 말하자면 검소한 식사에서 즐거움과 행복을 찾는 것이다. "나는 시골풍의 식사보다 더 맛있는 음식을 알지 못했고 지금까지도 그렇다. 우유, 달걀, 채소, 치즈, 검은 빵, 그저 마실 만한 포도주를 내놓기만 하면 나를 잘 대접하는 것이라고 언제나 확신해도 좋다… 당시 6수나 7수(1수는 0.25내지 0.30프랑)를 써서 훗날 6프랑이나 7프랑을 내고 먹은 식사보다 훨씬 더 맛있는 식사를 했다. 왜냐하면 나는 거기에 가능한 감각적 쾌락을 모두 쏟아 넣었기 때문이다. 내가 좋아하는 배, 쥰카타 생치즈, 치즈, 막대 빵, 몬페라토의 아주 걸쭉한 막 포도주 한 잔이면 나는 가장 행복한 미식가가 되었다."[259] 내가 좋아하고 즐겨먹는 음식이 가격이 싼 음식이라면 그것은 시시한 음식이 아니라 나를 자유롭게 해주는 음식이며 더할 나위 없이 좋은 음식인 것이다.

그런데 이 인용문에는 평범하고 소박한 음식을 먹으면서 행복한 미식가가 될 수 있는 루소만의 비결이 들어 있는데 그것은 그가 식사를 할 때 거기에 '감각적 쾌락을 모두 쏟아 넣었다'는 것이다. 식사를 할 때 집중하여 음식이 가진 풍미를 음미하는 습관을 들이면 꼭 비싼 음식이 아니더라도 그것을 맛있고 행복하게 먹을 수 있다는 말이다. 루소는 음식이 맛이 없고 식사가 즐겁지 않다고 말하는 사람에게 그건 음식 문제가 아니라 그가 식사에 집중하지 못하기 때문이라고 말할 것이다.

음식은 아니지만 나도 비슷한 체험을 한 적이 있어 말해볼까 한다. 프랑스에서 유학하던 시절 알프스를 여행할 기회가 있었다. 여유롭지 않은 유학생 처지여서 파리에서 기차를 타고, 갈아타고 다시 버스로 갈아타고 마침내 도착했던 기억이 난다. 하지만 피곤한 몸으로 도착한 허름한 호텔 방의 창문을 열자 바로 코앞에 펼쳐진 알프스의 산들은 얼마나 압도적이고 장관이었던지… 그로부터 약 15년 후 안식년 휴가차 프랑스에 체류했고 유학생 때의 감동이 생각나 다시 샤모니에 가보았다. 이번에는 교통편도 편하고 호텔도 좋은 곳에 머물렀다. 그런데 이상하게 예전의 감동이 되살아나지 않았다. 같은 도시에서 같은 풍경을 보는데 이토록 느낌이 다르다니. '그 땐 첫 인상이고 이번에는 두 번째라서 그런가'하고 넘겼다. 그런데 지금 '감각적 쾌락을 모두 쏟아 넣었다'라는 대목에서 그 때 일이 떠오른다. 아마 유학생 때는 생활비를 아껴 간신히 온 여행인지라 다른 것 생각하지 않고 – 사실 숙소니 식당이니 무조건 가장 싼 곳만 들어가다 보니 신경 쓸 필요도 없었다 – 오직 처음 보는 알프스의 모습들에만 감각을 집중했던 것 같다. 그러나 두 번째 여행에서는 그 때의 궁색함을 보상이라도 하려는 듯 숙소도 좀 더 쾌적한 곳, 식당도 좋은 곳 등을 고르느라 신경을 쓰다 보니 정작 알프스에는 내 감각을 모두 쏟아 부을 수 없었던 게 아닌가하는 생각이 든다.

다시 루소로 돌아가면, 그는 덧붙여 말하기를, 자신의 주된 취향들은 그 어느 것도 돈으로 살 수 있는 것들에 있지 않다고 하였다. "내게 필요한 것은 오직 순수한 즐거움뿐이며 돈은 그 순수한 즐거움을 망쳐버린다. 예를 들어 나는 식사의 즐거움을 좋아하지만 상류사회 모임의 거북함이나 선술집의 방탕함을 견딜 수 없어서 오직 친구 한 사람과 식사할 때 그 즐거움을 맛볼 수 있다. 친구가 한 사람 필요한 이유는 혼자 있으면 상상력이 다른 것에 쏠려서 먹는 즐거움을 갖지 못하기 때문이다."[260]

결국 삶의 소소한 즐거움을 맛보기 위해 꼭 부자가 될 필요는 없다. 루소에 따르면 취향이 소박하며 진정한 즐거움을 알고 자기 마음에서 유행 혹은 남의 평판을 고려한 행복을 거부할 수 있는 사람이라면 큰돈이 필요하지 않다.[261]

루소처럼 가까운 곳, 내 손이 닿는 곳에서 즐거움과 행복을 찾는다는 말은 당연한 말이지만 막상 실천으로 이어지지는 않는 것 같다. 우리는 흔히 행복이나 즐거움은 평범하지 않은 특별한 것 그리고 집안이 아닌 집밖에 있다고 생각하는 경향이 있기 때문이다. 그래서 늘 만족하며 맛있게 먹는 집 밥을 두고 외식을 한다거나, 집에서 가벼운 차림으로 갈 수 있는 쾌적한 곳들을 두고 일부러 먼 곳 혹은 외국에 가야만 휴가를 제대로 즐긴 것 같다는 생각을 하게 된다. 아니면 최소한 자기가 사는 집이 멀리까지 조망될 수 있도록 아파트에서도 초고층을 선호하기도 한다. 이 모두 시선을 자기 자신 혹은 자기 집 바깥으로 돌려 먼 곳에서 행복을 찾고자 하는 것이다. 하지만 경험상 굳이 먼 곳으로 가는 휴가가 집안에서 즐기는 휴가 혹은 집 가까운 곳을 가볍게 다녀오는 휴가보다 더 만족도가 높았던 것 같지는 않다. 대개의 경우 낯선 것을 접하는 즐거움은 거기에 부수되는 생소함, 불편함 등이 상쇄해버리며 거기에 들이는 비용, 시간, 에너지까지 고려하면 과연 장거리 여행을 진정한 즐거움이라고 말할 수 있을까 싶다.

루소는 『신엘로이즈』에서 볼마르-쥘리 부부의 거처인 클라랑 저택의 산책로에 관해 언급하면서, 자기 자신을 즐길 줄 알고, 참되고 소박한 쾌락을 추구하는 사람은 집안에 산책로를 만들 때 멀리까지 아름다운 조망이 뚫리는 것에 신경 쓰지 않는다고 하였다. 왜냐하면 조망과 원경을 좋아하는 것은, 대부분의 사람들이 지닌, 자신이 있지 않은 곳만을 좋아하는 성향에서 비롯되기 때문이다. 사람들은 대체로 자신들에게서 멀리 떨어져 있는 것을 갈망하지만 자기 자신을 즐길 줄 아는 사람은 자신이 있는 곳에서 기분이 좋으면 다른 곳에 있으려는 생각을 하지 않는다. 볼마르는 산책로에 관해 말한다. "예를 들어 여기서는 외부를 향한 조망이 없고 또 그런 사실에 매우 만족합니다. 누구나 자연의 모든 매력이 여기에 포함되어 있다고 기꺼이 생각할 것이어서, 나는 밖을 내다볼 수 있는 틈이 조금이라도 생긴다면 이 산책길의 많은 즐거움이 없어지지나 않을까 걱정스럽소"[262] 어디를 가든 바깥 '뷰'가 전부인 현대인들은 정작 자기 울타리 안의 즐거움을 놓치고 있지는 않은지...

앞에서 루소가 인색하다고 했지만 사실 그는 소비를 금지하는 금욕주의자라거나 극도의 구두쇠는 아니었다. 그는 오히려 스스로 소비를 즐기는 성향임을 고백한다. "돈을 쓰기에 적합하고 유쾌한 기회가 오면 나 자신도 모르는 사이에 지갑이 비어버린다. 나는 은밀히 그리고 즐거움을 위해 돈을 쓴다. 돈을 쓰는 것을 자랑하기는커녕 숨긴다."[263] 그는 자신의 즐거움을 위해 기꺼이 소비하지만 과시적 소비는 거부한다. 다른 사람들의 눈에 보이기 위한 즐거움은 진정한 즐거움이 되지 못하기 때문이다.

루소가 과시적 소비에 반대하여 제시한 것은 존재 전체로 즐기는 것이다. "매순간 모든 일에서 온전한 전체로 존재하는 사람은 사람들의 의견과 관계없이 즐기고 있는 것이다."[264] '온전한 전체로 존재'하는 것이 즐거움의 관건이라는 것인데 이 말은 다음과 같은 뜻이 아닐까? 소비를 할 때 타인의 시선에 신경을 쓰게 되면 자기 관심의 일부를 소비 자체가 아닌 다른 것에 분산시키는 셈이 된다. 그 경우 소비를 자기 존재 전체로, 즉 의식과 오감으로 즐기지 못하게 되어 소비의 즐거움이 줄어들게 된다. 따라서 사람들 눈에 보이기 위한 소비는 불완전한 소비인 것이다.

루소는 또한 돈 때문에 성가시고 귀찮은 일들이 일어난다고 말하기도 하였다. "내게 돈은 결코 사람들이 생각하는 것만큼 소중하거나 대단히 편리한 것으로 보이지도 않았다. 돈으로 사고 흥정을 하고, 종종 속임수를 당하고 값은 많이 내고 푸대접을 받아야 한다. 나는 품질이 좋은 것을 원하지만 돈을 주고 사면 영락없이 나쁜 것을 갖게 된다. 꼭 좋은 것으로 받고 싶다고? 성가시고 귀찮은 일들이 얼마나 많은가! 친구나 거래선을 만들고, 수수료를 주며, 편지를 쓰고 가고 오며, 그러다가 흔히 끝에 가서는 또 속고 만다. 내 돈으로 이 무슨 고생인가!"[265] 사실 우리는 돈으로 소비의 자유를 누린다고 생각하지만 돈을 내고 하는 소비가 마냥 자유롭지는 않다. 왜냐하면 그것은 쓰는 만큼의 만족을 얻어야 하는 거래이기 때문이다. 물건을 샀는데 다른 곳에서 훨씬 더 싸게 살 수 있었다는 사실을 뒤늦게 알게 되면 아쉬움 때문에 소비의 즐거움은 사라진다. 따라서 돈으로 하는 소비란 일종의 거래, 즉 신경 써서 해야 할 일종의 업무인 것이다.

나아가 루소는 돈이 많아지면 빠지게 되는 유혹을 경계했는데 그 중 하나가 예를 들어 미술품이나 서적 등 물건을 수집하는 것이다. "나는 화랑도 서가도 갖지 않을 것이다. 나는 그런 소장품들이 결코 완벽하지 못하며 무언가 부족하다는 결함은 아무 것도 없는 것보다 더 안타까운 일임을 알게 될 것이다."[266] 수집은 하면 할수록 더 하고 싶어지고 수집한 것에 만족하기보다는 아직 하지 못한 것에 집착하도록 만든다. 역설적이지만 풍요가 빈곤을 초래하는 것이다. 그래서 루소는 "우리가 소유하는 모든 것은 우리에게 부족한 것을 보여주는데 이용될 뿐입니다"라고 하였다.[267] 사실 이 말은 수집 뿐 아니라 소유 전반에 적용되는 것이다. 돈이 많아진 사람은, 수집의 경우처럼, 자기가 가진 돈에 만족하기보다 아직 자기가 갖지 못한 돈을 생각함으로서 결핍감이 더 커질 수 있다. 왜냐하면 위로 올라갈수록 비교 대상은 최상위 부자들이 될 것이기 때문이다.

또한 돈이 많아지면 즐거움이나 안락함 혹은 편리함도 돈으로 살 수 있다는 생각을 하게 된다. 하지만 내 것이 아닐 때는 즐거움을 누리다가 막상 소유하고 나면 즐거움이 사라지는 경우도 많다. 소유의 본질상 무엇이든 일단 자기 것이 되면 관심이 줄어들고 나아가 권태를 느끼기 때문이다. "부자들은 많은 비용을 들여 모아둔 수많은 오락거리에 파묻혀 있으면서도 권태 때문에 미칠 지경이다. 특히 무슨 일을 할 줄도 모르고 즐길 줄도 모르는 부인들은 우울증이라는 이름의 권태로 괴로워한다."[268]

사실 무엇이든 일단 내 손 안에 들어오면 흥미와 관심이 급격히 줄어든다. '헬스장 연간 회원권을 끝까지 사용하는 사람이 거의 없기 때문에 요즘 헬스장 운영이 그나마 가능하다'라는 말을 들은 적이 있다. 연중 어느 때라도 갈 수 있는 헬스장, 즉 거의 내 것이 되다시피 한 헬스장에는 더 이상 관심이 가지 않는 법이다. 반대로 내가 갖지 못하거나 시한부로 가진 것은 지금 이용하지 않으면 사라져버릴 것 같다. 그래서 더 관심이 가고 이용하게 되는 것이다. 그렇다면 이런 모순도 성립하지 않을까? '아직 내 소유가 아닌 것만 진정 내 것이다.'

『신엘로이즈』에서 쥘리도 언제든 너무 손쉽게 누릴 수 있는 쾌락은 진정한 쾌락이 아니라는 입장이다. 쥘리는 집안에 '아폴로 살롱'이라는 이름의 공간을 꾸며 놓고도 그곳을 특별한 경우에만 이용했는데, '왜 이런 쾌적한 곳을 항시 이용하지 않는가'라는 질문에 다음과 같이 답한다. "항상 안락하다는 권태가 가장 나쁜 것이기 때문이기도 해요. 나는 실제로 쾌락을 돋우는 방법은 쾌락에 인색해지는 것뿐이라고 판단했지요."[269] 즐거움도 일상화되면 그저 평범해져버리기 때문에 그것을 조금씩 아껴가면서 누린다는 것이다.

이 장에서 돈과 관련해 한 얘기들은 주로 돈을 어떻게 잘 쓰느냐에 관한 것이다. 사실 돈에 있어 우리는 그동안 버는 것에만 생각이 치우쳐 왔다. 쓰는 것도 중요하다고 말은 하지만 실은 소비는 깊이 생각하지 않는다. 돈이 없어서 못쓰지 있기만 하다면 쓸 데는 많고 또 쓰는 건 언제나 즐겁지 않냐는 생각인 것이다. 하지만 루소도 말했다시피 돈을 쓰는 게 늘 즐거운 것만은 아니다. 소비에 따른 부담과 고민, 과시적 소비의 폐해, 소유로 인한 권태 등등.

실제로 우리의 행복과 즐거움에 있어 돈을 버는 것보다 더 중요한 건 어떻게 쓰는 가일 것이다. 돈을 벌기 위해서는 즐거움보다

수고와 노력이 요구되는 반면 소비는 우리의 필요를 충족시키고 만족을 극대화할 수 있다. 행복의 면에서 본다면 그동안 소득에 치우쳤던 생각을 소비, 즉 지혜로운 소비 쪽으로 돌릴 필요가 있다.

2 • 소비

소득과 소비

현대인의 삶에서 소비는 행복의 바로미터라고 할 정도로 풍요로운 소비는 곧 행복한 삶과 동일시된다. 그런데 현실에서는 소비의 증가가 꼭 행복의 증가로 이어지지 않는다는 점이 문제다. 소비를 기준으로 본다면 가장 행복한 사람들은 가장 풍요로운 소비를 하는 서구 선진국 시민들일 것이다. 그런데 조사에 따르면 그들의 가장 큰 불만은 바로 물질적인 부분에 있다.[270] 이는 돈을 많이 써도 소비 욕구를 충족시키기 어렵다는 이상한 사실을 보여주고 있는 것이다. 실제로 영국에서 소득 상위 5%에 속하는 사람들 중 무려 40%가 '정말 필요한 것'을 모두 구매할 여력이 없다고 생각한다는 통계도 있다.[271] 물론 그들이 필요하다고 여기는 것들이 삶에 '정말 필요한 것'인지는 따져봐야겠지만 어쨌든 영국의 최고 부자들은 필시 남들보다 훨씬 더 많은 소비를 하면서도 여전히 소비욕구를 완전히 충족시키지 못하고 있는 것이다.

이런 조사들을 보면 소비는 늘릴수록 욕구가 진정되는 것이 아니라 오히려 더 갈증이 커지는 것인가라는 생각을 하게 된다. 이는 무엇보다 우선 현대인의 소비의 많은 부분이 삶의 실제 필요와 거리가 있는 것임을 시사한다. 그것이 생필품 위주라면 충족시키는데 어려움이 없을 것이다. 하루 세끼 대신 네 끼 다섯 끼를 먹는다거나 옷을 몇 벌씩 겹쳐 입고 다녀야만 직성이 풀리는 사람은 드물기 때문이다. 욕구가 무한정이라는 건 그 대상이 생필품이 아니라는 뜻이다.

그럼에도 소비자들은 자기들의 소비 욕구가 삶에 꼭 필요한 욕구라고 생각한다. 불필요한 욕구라고 생각했다면 불만도 없었을 것이다. 소비 욕구에 대한 이런 착각은 현대인의 소비를 수요자가 아닌 공급자가 주도한다는 점에서 비롯된 면이 있다.

현대인의 소비는 이미 소비자의 필요보다는 생산자의 필요에 의해 좌우되고 있다. 사람들이 구매욕을 느끼는 경우는 늘 필요한 생필품을 제외하면 거의 대부분 공급자의 광고나 미디어에 의해 촉발된다. 예를 들어 아침 출근길에 전광판을 가득 채운 화려한 신차 광고를 보는 순간 아무 문제없이 잘 굴러가는 내 차가 문득 낡고 볼품없는 차로 인식되면서 신차 구매욕이 촉발되는 식이다.

이러한 소비패턴에서는 소득이 늘어나도 소비 욕구를 완전히 충족시키기 어렵다. 소득이 하나 늘어나면 전에는 별 필요성을 느끼지 못했던 상품과 서비스들이 마치 필수품인 양 둘 셋 이렇게 시야에 들어온다. 적어도 1년에 한 번쯤은 해외여행을 하는 것이 필수가 되며 아파트 인테리어 리모델링 혹은 부자들의 전유물로 여겨졌던 골프도 어느새 대중적인 여가활동으로 자리 잡는다. 특히 소득의 증가보다 욕구, 정확히 말해 욕구유발이 훨씬 크기 때문에 영국의 부자들 같은 결핍감을 느끼게 된다.

그럼에도 이런 소비패턴을 문제 삼지 않는 이유는 우리가 늘 버는 만큼만 써야 한다고 교육받았기 때문인지도 모른다. 이처럼 소비를 소득에 연동시킬 경우 소득이 늘면 자연스럽게 소비도 그에 맞춰 늘린다. 그런데 일단 소비가 늘면 소득이 더 이상 늘지 않거나 혹은 줄어도 소비를 줄이기 어렵다. 따라서 높아진 소비 수준을 유지하기 위해 소득을 늘리고자 한다. 명품을 구입하기 위해 아르바이트를 하는 젊은이들이라거나 늘어난 가계지출을 충당하기 위해 투 잡, 쓰리 잡을 하는 가장들이 생각보다 많은 것이다.

일단 소비 욕구가 일어날 때 그것이 내 소득에 합당한 것인지 묻는 것은 필요하지만 그에 앞서 할 일은 어떻게 그 필요를 느끼게 되었는지 스스로 묻는 것이다.[272] 다시 말해 그것이 살면서 자연스럽게 생긴 필요인지 아니면 단지 소득이나 재산이 많아져서 거기에 맞춰 생겨난 욕구인지 따져봐야 한다는 것이다. 소비를 나의 자연적 필요, 즉 삶에 꼭 필요한 정도로만 할 수 있다면 나는 소비뿐 아니라 소득으로부터 크게 자유로워질 수 있다. 그리고 그것은 나의 삶에 중요하다. 소득의 부담에서 다소 자유로워지면 삶의 에너지도 그만큼 족쇄에서 풀려날 수 있기 때문이다. 루소 역시 소득보다는 소비가 중요하다고 하였다. "인간의 재물은 금고 속에 있는 것이 아니라, 그곳에서 꺼내어 사용하는 방식에 있다."[273]

루소는『신엘로이즈』에서 클라랑 장원의 경제 관리를 상세히 서술하면서 소비 조절의 중요성을 재차 강조한다. "소유의 기쁨은 소비에 비례하는 것이 아니라 그 소비를 얼마나 잘 조절하는지에 비례한다고 해야 할 겁니다... 만일 우리를 부유하게 하는 것이 부의 획득보다는 오히려 그 사용법에 있다면.. 집안의 경제 관리와 훌륭한 제도 이상으로 가장이 보살펴야 할 중요한 일이 무엇이겠습니까?"[274] 남편과 아내는 소득보다 가정의 소비를 관리함으로써 진정한 풍요를 누릴 수 있는 것이다.

가정 관리

클라랑의 쥘리 역시 소득보다 소비 관리의 중요성을 강조한다. 그녀는 소득을 늘리려는 시도는 삶을 망칠 가능성이 있다고 말한다. "재산과 관련하여 사실 늘리지 않으면 재산은 여러 사건들 때문에 감소하는 경향이 있습니다. 하지만 이런 이유 때문에 재산을 늘리려고 한다면 그건 언제나 재산을 계속 늘리려는 핑계거리가 되지 않을까요? 볼마르씨는 말했어요. '우리의 삶과 운명이 우연에 좌우될진대 불가피한 위험을 예방한다는 명목으로 현실에서 고통을 끊임없이 자초하는 것은 얼마나 미친 짓입니까?' 채워지지 않는 탐욕은 조심성이라는 가면 아래 진전되어 지나치게 안전을 구한 나머지 악덕을 초래하는 것입니다."[275] 소득에 열을 올리는 사람들이 흔히 대는 이유는 불확실한 미래에 대비한다는 것이다. 하지만 삶은 본래 불확실한 것이다. 거기에 지나친 확실성을 기하려 한다는 건 자연의 이치에 어긋나는 일일 것이다. 특히나 그것이 현재의 삶을 담보로 올지 안 올지도 모르는 미래의 삶에 대비하는 것이라면.

클라랑의 안주인 쥘리에게 소비나 쾌락에 있어서의 기준은 남이 아니라 자기 자신, 다시 말해 타인의 시선이 아니라 자기만족이다. "쥘리는 자기를 기분 좋게 하는 쾌락은 어떤 것이라도 거부하지 않아요. 대신 타인의 눈에 띄는 데 소용될 뿐인 모든 것을 낭비라고 부르지요. 그 결과 그녀의 집에서는 오락과 감각적 쾌락이 풍부하게 발견되는 데도, 그것에는 지나친 꾸밈새도 무기력도 없습니다... 사륜포장마차의 차체를 좀 더 유연하게 지탱하기 위한 필요성을 그녀는 쉽게 인정합니다. 그러나 칠을 하는데 얼마나 많은 돈을 쓰는지 얘기하면 아름다운 칠이 마차를 더 안락하게 하는지를 항상 묻습니다."[276] 쥘리에게는 소위 '하차감'보다 승차감이 우선인 것이다.

이처럼 클라랑의 경우는 소득보다 소비 관리에 더 신경을 쓰는 모습을 보여준다. 그 이유 중 하나는 소득은 대개 고정적이지만 소비는 어느 정도 가변적이기 때문이기도 하다. 하지만 우리는 반대로 생각하는 경향이 있다. 대개 소비는 더 이상 줄일 수 없는 고정적인 것이라고 못 박고 자기 소득이 거기에 못 미치는 데 대해 불만인 경우가 많다. 그러나 현실적으로 변화시킬 수 있는 여지가 있다면 소득이 아니라 소비에서이다.

만약 현재 수지균형을 맞추고 있는 어떤 사람이 지출을 현재의 절반으로 줄일 수 있다면 이론적으로 소득활동을 지금의 절반만 해도 되기 때문에 생업에서 오는 스트레스와 피로를 크게 줄일 수 있을 것이다. 물론 실제로는 절반은커녕 단 10%의 씀씀이도 줄인다는 게 쉽지 않지만 그렇다고 현재의 소비수준을 더 이상 줄일 여지가 없는 최저치라고 못 박을 이유는 없다. 현대인들보다 소비도 적게 하고 일도 적게 함으로써 확보한 여유 시간을 자신들이 좋아하는 활동에 투입하여 인류 역사상 최고의 문명과 인간성을 이룩한 민족이 있다. 바로 고대 그리스 민족이 그들인데 그 중 가장 잘 알려진 아테네 도시 국가의 시민들은 생업은 주로 오전 시간에 행하고 오후에는 체육관에서 몸을 단련하고 저녁에는 사람들과 식사를 즐기며 대화하거나 연극을 관람하고 또 정기적으로 민회에 참석하여 국사를 직접 논하는가 하면 재판에 배심원으로 참여했다. 또 전시에는 직접 무기를 들고 참전했다.

당시 아테네가 오늘날의 선진국들처럼 부자 나라였다면 모르되 아테네는 경제의 기반인 농지도 협소하고 척박했으며 그렇다고 로마처럼 해외로 팽창한 제국도 아니었다. 아테네는 라이벌이었던 페르시아나 이집트보다 훨씬 가난한 국가였다. 그럼에도 시민들이 자유롭고 여유 있는 삶을 누릴 수 있었던 비결은 그들이 사치는 물론 물질생활에 큰 관심을 두지 않았기 때문이다. 무엇보다 그들의 집, 가구, 의상, 식사 등은 대단히 검소 - 오늘날의 기준으로 보면 빈약 - 했으므로 물질 소비를 위해 시간과 정력을 쓰지 않아도 되었다. 현대인은 아침에 일어나서 면도를 하고 옷을 갈아입고 밥을 먹고 출근 준비하는데 적어도 한 시간 가량을 소비할 것이다. 그러나 아테네인은 날이 밝으면 일어나서 덮고 잤던 담요를 털어 겉옷으로 몸에 감으면 되고 면도도 할 필요가 없으며 아침도 먹지 않으므로 5분이면 외출 준비가 완료되는 것이다. 식사도 마찬가지다. 아테네인들은 빵과 오트밀 그리고 물을 탄 포도주만 있으면 식탁이 완성되었다. 현대인은 화장품, 자동차, 에어컨, 미식, 여행 등 고대 아테네인은 없어도 되었던 물건이나 서비스를 손에 넣기 위해 얼마나 많은 돈벌이를 해야 하는지… 한 마디로 소비하기 위해 일한다 해도 과언이 아니다. 아테네인은 현대인이 일해서 사들이는 물건의 4분의 3 이상은 아예 없이도 잘 살았다.[277] 현대인은 소비수준이 높기 때문에 깨어있는 시간의 대부분을 노동에 써야 하며 그 결과 공적인 일에 대한 참여는 고사하고 가족 및 친구와 함께 하거나 심지어 게으름 피울 시간조차 없는 것이다.

루소가 아테네인들의 예를 든 건 아니지만 그 역시 욕구의 절제를 강조했는데, 그에 따르면 사람들은 '쓸 데 없는 욕망을 인간의 자연적 욕구와 늘 혼동함으로써 계속 길을 잃고 헤매고 있다'는 것이다.[278] 다시 말해 우리가 흔히 필수적인 욕망이라고 간주하는 것들은 사실 인간의 본성에 비추어 그다지 필요치 않은 경우가 많은 것이다.

실로 사람의 욕구는 그것이 자연스럽다면 지나치거나 과할 이유가 없다. 루소가 묘사한 자연인의 경우가 그러한데 그는 적당한 음식과 휴식 그리고 이성만 있으면 자신의 모든 욕구가 충족되었다. 반대로 사회생활을 하는 문명인의 경우 욕구의 상당 부분은 인위적으로 만들어진 것인 경우가 많다. 쇼핑의 경우 생각하지 않았던 물건인데 소위 파격적인 세일을 하는 경우 충동적으로 사는 경우가 있다. 그 물건이 지금 정말 필요해서가 아니라 단지 나중에 정가로 사면 할인 폭만큼 손해 볼 것 같아서이다.

루소는 자기 체험에 빗대어 자연스러운 욕구를 강조한다. "나에게는 고정수입이라고는 동전 한 닢 없지만 나는 검소했고 가장 돈이 많이 드는 욕심, 즉 세상 평판에서 나오는 욕심을 모두 버렸다. 호화로운 사륜마차, 수위, 급사장을 갖는 것은 세상 사람들처럼 사는 것이다… 건강을 누리고 생활에 필요한 것에 부족함이 없는 사람이면 누구나, 자기 마음에서 세상 평판에 입각한 행복을 제거해 버린다면, 충분히 부유하다. 이것이 호라티우스의 황금의 중용이다."[279]

3 • 일

자아실현

삶의 본질은 자기 존재를 보존 및 실현시키는 것, 즉 자아실현에 있다. 자아실현이란 각자 타고난 능력을 발휘하여 자기 본성을 구현하는 것, 한마디로 가장 자기답게 되는 것이다. 그 점에서 인간이 천사로 변한다면 그것은 미덕이 아니라 자기를 파괴하는 것이란 말도 틀린 말은 아닐 것이다.[280]

자아실현은 이처럼 인간 본성을 지향하며 자기 능력을 발휘하는 것이다. 그런데 현대인은 선한 본성에 부합하기보다는 시장에서 선호하는 자질들을 갖추어야 한다는 압박을 받는다. 그리하여 이를테면 연민보다는 냉정함, 솔직함보다는 용의주도함, 진실함보다는 전문성 같은 것이 필요하다고 생각하게 되는 것이다. 인정이 많고 솔직하며 진실한 사람보다는 냉정하고 침착하며 전문성을 갖춘 사람이 되어야 한다고 생각하는 것이다. 선과 자유를 추구하는 인간 본래의 품성에 부합하는 것은 전자이지만 우리는 자의반 타의반으로 후자를 선호하게 된다.

이처럼 우리가 별 저항 없이 본성에서 멀어지는 것은 성장하면서 자기애보다는 에고에 바탕을 둔 교육을 받았기 때문이다. 에고는 타인의 시선을 기준으로 사람들이 좋다고 하는 것을 함으로서 인정받고 싶다는 욕구가 바탕이 된다. 반대로 본성의 특질인 자기애는 자아를 온전히 보존하면서 자기능력을 실현하는 것이다. 따라서 자아를 훼손하지 않는 일이나 직업을 선택하는 건 무엇보다 중요한 삶의 과제라 할 수 있다.

루소와 일

루소는 어떻게 하였는가? 우선 작가로 데뷔하기 전 그는 어느 한 곳에 오래 머물지 못한 채 여러 일자리를 전전했다. 무엇보다 구속이나 의무를 싫어하는 성격 때문이었다. 예를 들어 비교적 안정된 직장이었던 토지대장 사무소에서의 근무도 8개월을 채우지 못했는데, 이에 대해 그는 "내 자유로운 기질은 아무리 사소한 사회생활의 의무라도 참을 수 없습니다. 한마디라도 말해야 하고 편지 한 통이라도 써야 하고 한 번이라도 방문을 해야 하는 것이 의무가 되자마자 그것들은 내게 고문입니다"라고 하였다.[281]

그렇다면 루소는 노동의 가치나 의무에 대해 부정적이었는가? 그는 오히려 노동의 의무를 강조했다. 『에밀』에서 루소는, '스스로 벌지 않은 것을 아무 일도 하지 않으면서 먹는 자는 그것을 훔치는 셈이다. 사회 속에서 인간은 노동을 하여 그의 생계비를 갚아야 하므로 노동은 사회적 인간에게 필수적인 의무'라고 하였다.[282]

뿐만 아니라 그는 일과 노동이 나태함을 차단함으로써 영혼의 건강을 유지시켜준다고 하였다. "일에는 소박한 즐거움도 내포되어 있는데... 그 일에 몰두하는 자에게 혼란에서 해방된 마음과 건전한 영혼을 유지시켜주지요. 나태한 무위가 슬픔과 권태만을 일으킨다면 감미로운 여가 시간의 매력은 노동생활의 성과이지요."[283]

따라서 루소는 글쓰기를 생업으로 삼되 작가로서의 일 외에 어떤 노동을 하고자 했는데 그가 선택한 것은 뜻밖에 한 장에 얼마씩 받고 악보를 필사해주는 일이었다. 이에 대해 사람들은, '아, 베껴 쓰는 거! 그는 부자이면서도 가난하게 보이려고 음악을 베껴 쓰는 척하는 것'이라고 비방했다.[284] 하지만 루소는 전업 악보필경사 못지않게 그 일을 열심히 그리고 지속적으로 행함으로써 사람들의 생각이 오해였음을 증명했다. "나는 그(루소)가 페이지 당 10수를 받고 악보를 베껴 쓰는 것을 봤습니다. 그것은 저자의 품위에 어울리지 않고, 그토록 명성을 가져다준 일들과는 전혀 유사하지 않은 일이었어요. 가지런하지 못한 그의 음표는 서투르고 느리고 어렵게 그려진 것으로 보였고 정확해 보였지만 맵시 있지는 않았습니다. 부족한 소질을 노력으로 보충하려고 애쓴 흔적이 보이더군요. 하지만 그는 진심이었으며 그가 그 일에 싫증낸다고 판단할 수는 없습니다... 나는 그가 6년 동안 6000페이지 이상의 악보를 베껴 썼다는 것을 알 수 있었습니다."[285]

그 일을 한 기간이나 일의 양으로 볼 때 루소는 악보 베끼는 일에 진심이었고 그 일을 글쓰기에 이은 제 2의 천직으로 여겼던 것으로 보인다. 물론 루소가 악보 베끼는 일에 소질이 뛰어났다고 보기는 어렵다. 그렇다고 그는 그 일에 싫증을 느끼거나 마지못해 한 것은 아니었는데 만약 그랬다면 그토록 꾸준히 하지 못했을 것이다. 그러면 왜 그는 별로 소질도 없는 일을 붙들고 있었을까?

우선 그에게는 글쓰기라는 본업 외에 부업이 필요했다. 글쓰기로부터 나오는 수입만으로는 생계를 안정적으로 유지하기에 부족했기 때문이다. 그가 밝힌 바에 따르면 '오페라 극장과 맺은 계약과 식물학 책들의 판매에서 나오는 약간의 현금 및 리옹에서 가지고 있던 1000에퀴의 저축에서 파리에 정착하느라 찾은 돈을 뺀 나머지 돈과 함께, 현재 그의 수입은 그에게 아무런 자격이 없는 불확실한 종신연금 800프랑과 역시 종신연금이지만 적어도 지불하는 사람이 지불 능력이 있는 한에서만 확실하게 받을 수 있는 300프랑이 전부'라는 것이었다.[286] 사람들의 짐작과 달리 책에서 나오는 인세는 충분치 못하며 종신연금은 그 출처가 개인들이었으므로 언제 끊길지 모르는 것이었다.

루소가 『에밀』과 『신엘로이즈』 등 소위 베스트셀러들을 출판한 것은 그의 나이가 50대로 접어든 1860년대였다. 그 때부터는 책에서 나오는 수입이 다소 늘어났지만 그 전까지는 인세 수입이 보잘 것 없었다. 이에 대해 그는 작가의 수입만으로는 옹색한 생활을 할 수 밖에 없는데 자신은 검소한 생활의 고된 체험을 원치 않으며 사치나 허영까지는 아니더라도 삶의 즐거움을 포기할 수 없다고 하였다. "당신은 내가 늙은 나이에 지극히 검소한 생활의 고된 체험을 쓸데없이 하기를 바라시는 겁니까? 내게는 단지 즐거움일 뿐인 노동을 하면 몸에 배어 꼭 필요한 것이 되어버린 그 편안함을 계속 누릴 수 있는데 말이에요. 나로서는 다른 어떤 방법으로도 그 편안함을 누릴 능력이 없고…"[287] 한마디로 악보 베끼기는 빈약한 수입만으로는 누릴 수 없는 최소한의 안락함을 제공해준다는 것이다.

그런데 그가 그 일에 만족한 또 하나의 이유는 그것이 자유로운 노동이라는 점이었다. "나는 노동과 휴식을 번갈아 하는 과정에서 아주 감미로운 기쁨을 느낍니다. 나는 취향에 맞고 내 의지대로 조절할 수 있는 일을 함으로써 내 재산의 부족함을 보충하는 것입니다. 내가 아무 일도 하지 않고 지낸다면 권태로워지는 반면 일을 한 후에는 단순한 휴식도 즐겁고 산책만으로도 충분히 내게 필요한 오락이 되지요."[288]

그는 나아가 악보 베끼기가 고역이 아니라 만족스러운 일로서 자신의 취향에 맞는 것이라고 하였다. "사람들은 말한다. 왜 책을 쓰지 않고 악보 베끼는 일을 하느냐고요. 책을 쓰면 돈도 더 많이 벌고 품위도 떨어지지 않을 거라고 말입니다. 나는 대답하고자 합니다. 왜 악보를 베끼는 대신 책을 쓴단 말입니까? 그것은 다른 어떤 것보다 즐겁고 내게 어울리는 일인 반면 (책을 쓰기 위해) 생각하는 것은 아주 피곤하며 괴롭고 즐겁지 않은 일입니다."[289] 그에겐 손으로 일을 하면서 머리를 쉬게 하는 것이 활력과 즐거움을 준다는 것이다.

게다가 루소는 글쓰기로부터 나오는 수입에 전적으로 의존할 경우, 즉 전업 작가가 될 경우 그것이 오히려 저술에 부정적인 영향을 끼칠 것이라고 하였다. 그는 작가라는 직업은 대중의 취향으로부터 거리를 둘 때에만 진실을 추구할 수 있고 결과적으로 성공할 수 있다고 하였다. "나의 재능은 오직 고결하고 자존심이 강한 사고방식에서 생겨났고 또 그것만이 재능을 키울 수 있었다. 단지 먹고 살기 위하여 생각할 때 고결한 생각을 하기란 너무 어려운 일이다. 성공하고 싶다는 마음에 유용하고 진실한 것보다는 대중에 영합하는 것들을 말할 궁리를 하게 되었을 것이고… 나는 나머지 것들은 전혀 고려하지 않고 오직 공공의 선을 위해 말했다는 확신을 갖고 내 책들을 대중 앞에 내놓았다. 나로서는 먹고살기 위해 사람들의 칭찬이 필요하지 않았다. 책들이 팔리지 않아도 내 직업으로 먹고 살 수 있었다. 그런데 바로 그 때문에 내 책들이 팔린 것이다."[290] 길게 인용한 것은 글쓰기에 임하는 루소의 자세가 인상적이기 때문이다. 우리는 흔히 전업 작가가 된다는 것을 작가의 열정과 순수성을 입증하는 징표로 생각하는 경향이 있다. 그런데 루소에게는 전업 작가가 된다는 건 생계의 불안 때문에 두려운 것이 아니라 생계를 전적으로 작품에 의존함으로써 대중에 영합하는 엉터리 작품을 쓰게 될까봐 두려운 것이었다. 한마디로 전업 작가는 글쓰기에 적합한 조건이 아니라는 것이다.

루소는 자유와 독립성을 중시하는 자기 기질상 다른 직업은 잘 맞지 않는다는 걸 깨달았다. 그는 젊었을 때 자신이 작곡한 오페라를 무대에 올리고자 했으나 이내 포기했다. 작품을 공연하려면 다른 사람들의 뜻에 따라야 한다는 걸 깨달았기 때문이다. "나는 내 오페라를 파리에서 공연시켜 보려고 몇 차례 시도했다. 그러나 결코 성공할 수 없었다. 배우들의 비위를 맞추는데 싫증이 나서 그들에게 등을 돌렸다. 이 최후의 실패는 완전히 내 용기를 꺾었다. 나는 출세와 영광의 온갖 계획을 포기하였고…"[291]

반대로 작가라는 직업 그리고 악보 베끼기라는 부업을 통해 루소는 자기에게 꼭 필요한 만큼의 수입과 자유를 누리고 있다고 하였다. "그 일로 얻는 적은 추가 수입으로, 재산의 속박에서 벗어난 그(루소)는 재산이 제공하는 모든 현실적인 행복을 적당히 즐깁니다. 더 가난하다면 그는 결핍과 고통을 느끼겠지요. 하지만 더 부자라면 부유함과 근심과 여러 가지 용무로 난처해할 겁니다."[292]

결국 그가 선택한 악보 베껴 쓰기라는 단순 노동은 건강과 자연스러움 그리고 자유를 충족시키는 것이었다. "저자라는 우울한 직업에 온 시간을 쏟는 것보다 그렇게 거의 기계적인 생활을 하는 것이 그에게는 더 쾌활하고 만족스럽고 건강한 것이지요."[293]

이에 비하면 조직 속에서 봉급을 받으면서 하는 일은 안정성에도 불구하고 그에게 속박을 안겨줄 따름이었다. "나는 재무부 수세국장의 회계원이라는 혐오감만을 느끼는 직책에 예속되어 얼마 남지 않은 여생의 안식과 즐거움을 희생시키는 어리석음에 대해 심각하게 생각하지 않을 수 없었다. 그것은 신문사에 거의 이름만 걸어놓고 한 달에 800 리브르라는 상당한 금액을 벌 수 있는 서적 논평 업무도 마찬가지였다."[294] 별 힘들이지 않고 수월하게 해낼 수 있는 서적 논평 업무에 무려 8백 프랑의 보수가 딸려있었던 것이다. "그러나 원하는 시간에 일을 하지 못하고 시간의 지배를 받아야 한다는 견딜 수 없는 속박, 또 내가 책임져야 할 직무들을 제대로 이행할 수 없으리라는 확신이 앞서자 결국 내게는 적합지 않은 그 자리를 사절하기로 결심했다."[295] 그는 자기가 원하는 시간에 원하는 일을 하는 것을 직업 선택의 원칙으로 삼고 그를 지키려 노력했던 것이다.

이처럼 자기가 싫어하는 일은 단 한 시간도 하지 않겠다는 루소는 열정이 일어나지 않는다면 단 한 줄의 글쓰기도 할 수 없다고 하였다. "나의 재능은 오직 내가 다뤄야 할 주제들에 대한 어떤 뜨거운 정신적 열정에서만 나온다는 사실, 또 나의 타고난 재능에 활력을 불어넣어줄 수 있는 것은 위대함과 진실함과 아름다움에 대한 사랑 밖에는 없다는 것을 나는 알고 있었다. 그런데 내가 발췌해야 할 대부분의 책들의 주제, 그리고 그 책들 자체가 내게 무엇을 가져다줄 것인가? 대상에 대한 나의 냉담함은 펜을 얼어붙게 하고 나의 정신을 둔화시킨다."[296] 신문에 책 리뷰를 하고 봉급을 받는 것은 작가로서 자연스러운 데다 부러움을 살 수 있는 일로 보였지만 루소는 자기가 관심이 없는 주제들을 다룬 책을 읽고 리뷰를 해야 한다는 점이 견디기 어려웠다. 그에게 작가란 직업적으로 글을 쓰는 사람이 아니라 열정에 의해서만 글을 쓰는 사람이었다.

일과 자유

현대인들은 루소의 처지를 부러워할지 모른다. 많은 현대인들이 자기가 선택한 일이 보람 없고 지루하다고 생각하기 때문이다. 유럽 근로자의 3분의 2가 자기 직업에 만족하지 못하는 것으로 나타난다.[297] 이는 일에 대한 기대치가 높아진 때문인가? 오늘날 일에서 느끼는 성취감에 대한 기대치가 높아진 건 사실이다. 우리는 직업이 삶을 영위하게 할 뿐 아니라 삶에 의미를 부여하기를 바란다.

그런데 자기 삶에 의미를 부여하고 자기 정체성을 확립할 수 있으려면 자발적이고 창조적인 활동을 해야 한다.[298] 그러나 대다수 사람들은 일에서 자율성과 창의성을 발휘할 여지가 많지 않다. 고용된 그들에게 요구되는 것은 주로 남이 시키는 일을 하는 것이다. 루소는 직업을 판단함에 있어 가장 중요한 기준을 독립성이라고 보았다. 이는 운명과 사람들로부터의 독립성을 말한다. 말하자면 외적 상황이나 타인들의 의지로부터 큰 영향을 받지 않는 것인데 루소는 그 기준에 맞는 직업을 장인의 직업에서 찾았다. "만약 여러분이 남의 호의에 의해서만 일할 수 있는 그런 자리에 적합한 사람이 된다고 치자. 정치학자는 대신들이나 궁정인들에게 접근할 수 있어야 하며 건축가나 화가는 아카데미 회원이 되고 부자의 후원을 받아야 한다... 그러나 여러분의 손으로 할 수 있는 일이라면 고관대작들 앞에서 굽실거릴 필요도 없으며 부자에게 비굴한 아첨을 떨 필요도 없다."[299] 사회에서 인정받는 직업들은 많은 경우 권력자나 부자의 호의가 필요하며 따라서 그들의 눈치를 살펴야 하지만 자기 손으로 무엇을 만드는 장인의 경우 누구의 후원도 누구에 대한 굴종도 필요치 않다. 따라서 루소는 에밀이 하나의 직업을 배운다면 목수일이 가장 어울릴 것이라고 하였다. 그것이야말로 깨끗하고 유용하며 자기 집에서 독립적으로 할 수 있는 일이라는 것이다.[300]

이에 대해 에밀은 말한다. "근사한 직업들이나 사람들의 평판 같은 게 뭐가 중요한가요? 저는 매일 자신의 노동을 통해 사랑하는 사람과 함께 독립적으로 살아가는 것 외에 다른 행복을 알지 못합니다. 제가 원하는 재산이라곤 작은 전답뿐입니다. 소피와 제 밭만 있으면 그것으로 저는 부자일 것입니다."[301]

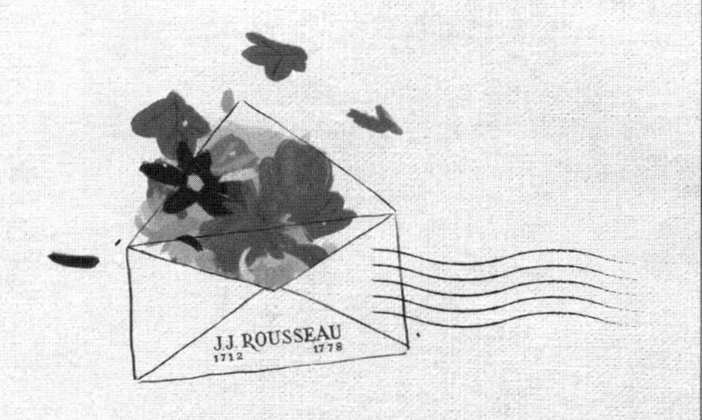

8장

교육

루소가 자녀 양육과 교육에 관한 유명한 책 『에밀』을 쓴 이유 중 하나는 고아원에 자식들을 맡긴 데 대한 회한이었다. 그는 『에밀』 1권에서 "아버지로서 의무를 완수할 수 없는 사람은 아버지가 될 권리가 없다. 가난도 일도 체면도 자식을 양육하고 직접 교육시키는 일에서 면제받을 수 없다. 그토록 신성한 의무를 저버리는 자는 오랫동안 자신의 잘못에 통한의 눈물을 쏟을 것이며 그 무엇으로도 결코 위로받지 못하리라"라고 밝혔다.[302] 이처럼 죄책감에 시달리던 그가 한 편지에서 '아직 나에게는 책을 써서 속죄해야 하는 오래된 죄가 있습니다'라고 말했던 것처럼[303] 『에밀』은 이를테면 속죄의 제단에 올려진 봉헌물이었다.

교육과 본성

『에밀』에서 루소는 '좋은 교육 계획'이란 인간의 본성에 부합하는 것, 즉 인간에게 적합하고 인간의 심성에 잘 들어맞는 것이라고 하였다.[304] 교육이 인간 본성에 어긋나면 안 되는 이유는 교육의 목표가 인간을 참된 인간, 즉 인간다운 인간으로 만드는 것이기 때문이다. 본성, 즉 개인의 자연스러운 기질을 보존 및 발전시키려면 어떤 교육이 적합할까? 이것이 루소가 『에밀』에서 탐구한 주제이다.

루소는 『에밀』에 대해, "이 책은 단순히 인간의 선한 본성을 다루는 논고로서 인간의 본성과 무관한 악덕과 오류가 어떻게 외부로부터 침범해 들어와서 인간의 본성을 변화시켰는지 보여주려고 했다"라고 하였다.[305] 현재 인간에게 있는 결점이나 해악들은 인간 본래의 성품이 사회의 영향을 받아 변질된 것이다. 따라서 루소에게 교육이란 어떤 새로운 것을 만들어내는 것이 아니라 아이 본래의 품성이 변질되지 않도록 해로운 정념이 생기거나 사회의 해악이 유입되는 것을 차단하는 것이었다. 요컨대 보호적이며 예방적인 교육을 중시한 것이다.

사람들은 흔히 '교육은 무에서 유를 만들어내는 것'이라고 말한다. 사실 부모나 교사는 아이에게 무언가를 채우고 주입하려는 유혹을 느낀다. 어린 아이는 백지 상태로 태어나 아직 다 채워지지 않은 상태이기 때문이다. 그런데 루소의 관점에서 볼 때 이 말처럼 위험한 것은 없다. 그것은 아이의 본래 상태를 있는 그대로 인정하지 않고 거기에 자꾸 무언가를 채우거나 변화시켜 다른 존재로 만드는 것이기 때문이다. 그럼으로써 아이의 선한 본성, 예컨대 천진난만함이나 쾌활함 그리고 고운 마음씨는 칭찬의 대상이 되거나 꽃피워야 할 싹이 되지 못하고 오히려 성장의 장애물 혹은 어리거나 철없다는 표시 등으로 간주된다. 그리하여 아이는 점점 자기 존재로부터 멀어져 간다.

사회는 아이가 성장하면서 자기 자신이 되지 못하면 평생 불행하게 살 거라는 사실을 망각한다. 진정 아이를 위한 교육을 하려면 아이의 본래 성품을 변화시키려 하지 말아야 한다. 모든 아이가 본성에 따라 성장하고 자기 자신이 되어 자기 운명을 성취하도록 도와주어야 한다. 그 때 비로소 아이는 자유롭고 행복한 삶, 즉 좋은 삶을 살 수 있을 것이다.

1 • 아동 교육

본성에 부합하는 교육은 어떤 기준 혹은 가치를 중심으로 실행할 것인가? 내가 이해한 바, 루소의 아동교육론은 자연과 자유라는 두 가지 가치를 중심으로 전개된다. 자연이란, 아이의 몸에 자연적인 습관을 남겨두는 반면 인위적인 습관을 갖지 않게 함으로써 모든 행동을 자연스럽게 하도록 하는 것이다. 그리고 자유는 어떤 행동이든 억압이나 의무에 의해서가 아니라 자기가 원해서 자유롭게 할 수 있도록 하는 것이다.[306] 그 내용을 살펴보자.

1) 자연

권력과 지배

루소는 아이에게 인위적 정념이 생기는 것을 막아야 한다고 했는데, 그것은 자연에서 비롯되지 않은 것으로 권력과 지배의 정념이 대표적이다. "어린아이들의 첫 울음은 간청인데, 만약 조심하지 않으면 그 울음은 곧 명령이 된다. 자기를 곁에서 보살피도록 하는 것에서 시작하지만 결국은 시중을 들게 하는 데서 끝이 난다. 따라서 처음에는 의존적이었지만 이어서 권력과 지배의 개념이 생겨나는 것이다."[307] 루소는 이러한 개념은 아이들의 욕구보다는 어른들의 시중으로 유발되는 것이라고 하였다.

이를 막으려면 우선 아이가 명령하는 버릇을 들이지 않도록 해야 한다. "아이가 손을 내밀면서 칭얼거리고 울 때는 물건에게 다가오라고 명령하거나 여러분에게 그것을 가져다 달라고 명령하는 것이다. 이 경우에는 그저 못들은 척한다. 아이가 울면 울수록 더 못 들은 척 해야 한다."[308] 사실 아이는 유년기의 상당 부분을 울면서 보내는데 아이의 울음을 진정시키기 위해 부모가 바로 아이의 요구를 들어주거나 혹은 억압적으로 윽박지르면 아이에게 지배나 예속의 관념을 심어주게 되는 것이다.

이러한 관념은 나중에 정신과 육체가 성장해도 쉽게 사라지지 않는다. 지배 욕구는 이기심을 일깨우고 습관은 그것을 지속시킨다. 그리하여 인간은 자연의 길을 벗어나게 되는데 어린아이가 본래 모습을 간직하기를 원한다면 세상에 나온 순간부터 그것을 보존해주어야 한다.

사물에 대한 의존

루소는 아이들이 필요로 하는 것을 가능한 한 아이들 스스로 하게 함으로써 의존성을 줄이고자 했다. 그러나 모든 의존을 부정한 건 아니다. 그는 사물에 대한 의존과 사람에 대한 의존을 구분하고 전자에 머무는 것이 자연의 질서를 따르는 일이라고 하였다. 사물에 대한 의존이란 실제 삶에 필요한 것을 말하고 사람에 대한 의존이란 변덕이나 욕심에 해당하는 것이다. 루소는 아이의 요구를 구분하여 전자는 충족시키고 후자는 물리칠 것을 권한 것이다. "아이가 원하는 것을 주되, 아이가 요구해서가 아니라 필요 때문에 그렇게 하라."[309]

이처럼 반드시 필요한 것이면 즉시 들어주지만 필요치 않은 것을 아이의 울음 때문에 양보한다면 그건 아이가 눈물을 흘리도록 부추기는 일이 된다. "여러분이 약하다고 생각하면 아이는 곧 고집스러워질 것이다. 자주 거절하지 말 되 한 번 거절한 것을 절대로 철회해서는 안 된다."[310]

말하자면 아이에게 욕구란 그 대상이 필요한 것일 때 실현 가능한 것이지, 욕심이나 변덕의 작용으로 부모를 졸라서 실현하는 게 아니라는 점을 깨우쳐주는 것이다. "변덕은 자연에 속하는 것이 아닌 만큼 그것이 생기게 하지만 않는다면 아이들이 변덕에 시달리는 일은 없을 것이다."[311] 그럼으로써 아이들은 실제로 필요한 자연적 욕구만을 자기 힘의 한도 내에서 추구하는데 익숙해질 것이다.

아이가 사람보다 사물의 영향을 받도록 하면 아이는 욕구를 충족하지 못하게 되는 경우 그것이 사람 때문이 아니라 '그럴 수밖에 없기 때문'이라고 느낄 것이다. 다시 말해 아이들이 인간의 의지에서 저항을 받지 않고 사물에서만 저항을 느낄 경우 반항적인 아이나 화를 내는 아이가 되지 않을 것이다. 따라서 루소는 어린아이들을 성가시게 하거나 짜증나게 만드는 하인들을 그들에게서 떼어놓으라고 당부한다.[312] 실제로 아이들의 작업이나 놀이에 어른이 개입하면 아이에게 반항심이나 짜증의 습관을 심어줄 수 있다. 보호자나 하인들이 늘 개입하는 부유층의 아이들보다 자유롭고 독립적으로 키운 서민층 아이들이 덜 허약하고 덜 신경질적인 이유도 거기에 있다.

필연의 굴레

나아가 루소는 자연이 부과한 굴레, 즉 필연의 굴레가 인간에게 씌어져 있다는 것을 아이가 깨닫게 하는 것이 좋다고 하였다. "인간의 변덕이 아니라 사물들 속에서 이 필연을 볼 수 있게 해야 한다. 그가 하지 말아야 할 일은 설명이나 토론을 통해 금지하지 말고 그냥 하지 못하게 막아라. 그에게 허용할 것은 조건을 달지 말고 처음 말했을 때 그냥 주도록 하라. 일단 거절한 것은 결코 철회

하지 않도록 하고 그것은 견고한 벽이 되어야 한다. 그러면 아이는 대여섯 번 힘을 소진하지 않을 것이고 더 이상 뒤엎으려 하지도 않을 것이다."[313]

실제로 인간은 사물의 필연성에 대해 인내하는 수밖에 없는데 그것은 자연스러운 본성이다. "'이젠 없다'라는 말로 대답하면 아이는 그것이 거짓말이라고 생각하지 않는 한 결코 반항하지 않는다. 이런 방식을 통해 여러분은 아이가 자신이 원하는 것을 갖지 못하게 되더라도 참을 줄 알고 체념할 줄 아는 평화로운 아이로 만들 수 있을 것이다."[314]

결국 아이는 무언가를 요구하기 때문이 아니라 필요로 하기 때문에 얻어야 하며 복종에 의해서가 아니라 '어쩔 수 없기 때문에' 무엇을 해야 한다. "복종이나 명령이라는 낱말은 아이들의 어휘에서 사라져야 하며 의무와 책임이라는 낱말 역시 그러하다. 반면, 힘, 필연, 무능력, 제한이라는 단어들은 중요한 자리를 차지해야 한다."[315]

반대로 아이에게 복종의 의무를 납득시키려고 설득에다 강제와 위협을 덧붙이거나 혹은 아첨과 약속을 남발할 경우 최악의 결과를 초래할 것이다. "첫째 여러분은 아이들이 깨닫지 못하는 의무를 강요함으로써 아이들이 여러분의 독재에 대해 불만을 품고 여러분을 사랑하지 않게 만들어버린다. 또한 상을 받아 내거나 처벌을 모면하기 위해 속마음을 숨기고 위장하는 법을 아이들에게 가르치게 된다."[316]

고통과 두려움

위에서 아이의 울음 때문에 양보하면 안 된다고 했는데 그것은 아이를 약하게 키우지 않기 위해서도 필요하다. 루소는 아이를 약하게 키우면 악해진다고 믿었다. 그에 따르면 모든 악의는 나약함에서 비롯된다. "강하게 만들면 그는 선해질 것이다. 모든 것을 할 수 있는 능력이 있는 사람은 결코 악을 행하지 않는 법이다."[317]

따라서 어린아이가 나약하고 예민하여 아무 것도 아닌 일에 울음을 터뜨린다면 그 울음이 소용없게 만들어야 한다. "아이가 우는 동안은 절대로 가보지 않고 울음을 그치면 즉시 그에게로 달려간다. 아이는 어디를 다치거나 혹은 남에게 자기 소리가 들릴 것이라고 기대하지 않는 한 혼자 있을 때 우는 경우는 드물다."[318] 아이는 의존할 대상이 없어지면 스스로 강해진다.

또한 아이가 다쳤을 때에도 호들갑 대신 냉정을 유지해야 한다. "아이가 넘어지거나 다쳤으면 일단 그것을 견뎌야 한다. 여러분이 호들갑을 떨면 오히려 아이가 더 겁을 먹고 민감해지게 만들 뿐이다. 실제로 사람이 다쳤을 때 고통을 주는 것은 충격이라기보다 두려움이다. 여러분이 걱정스럽게 달려가는 대신 냉정한 태도를 유지하는 것을 보면 아이도 곧 냉정함을 되찾고 더 이상 아픔이 느껴지지 않을 때 상처가 다 나았다고 생각할 것이다."[319] 이를 통해 아이는 두려움 없이 가벼운 고통을 견디는 법을 배우게 될 것이다.

2) 자유

자연에 이어 루소의 아동교육론의 두 번째 가치 혹은 기준은 자유라 할 수 있다. 그에 따르면 발달과정에서 아이의 자유만큼 중요한 건 없다. 자유는 아이를 진실하고 자연스럽게 만든다. 아이를 늘 억제하려 하지 않으면 아이는 어른을 불신하지 않기 때문에 속이지도 거짓말하지도 않고 있는 그대로 자신을 드러낼 것이다.

따라서 아이의 자유를 보장하는 건 아이가 사랑스러운 본능을 유지하는 데 중요하게 작용한다. "여러분 가운데 언제나 입가에 웃음이 맴돌고 마음이 평화로운 이 시기를 때때로 그리워해보지 않은 사람이 있는가? 왜 여러분은 어린아이에게 온갖 종류의 쇠사슬을 채워 그토록 짧은 그 시기의 즐거움을 빼앗으려 드는가?"[320] 유치원생이나 초등학생들에게 과중한 학습 부담을 안겨주는 부모들은 아이가 훗날 마음의 고향처럼 의지할 수 있는 평화롭고 행복한 추억을 박탈하고 있는 건 아닐까?

『에밀』은 어린 시절이 단지 성년기를 위한 준비가 아니라 삶의 독립된 한 부분이라고 주장함으로서 '어린 시절의 복음서'라 불리기도 한다.[321] 요컨대 어린 시절은 그 자체로 행복할 권리가 있다는 것이다. 인간이 만물의 질서 속에 자리를 잡고 있는 것처럼 어린 시절도 인생의 질서 속에 제자리가 있다.

본성을 보존하는 교육

루소는 아이의 본성, 즉 자발적인 성격과 행동에 손대는 대신 그것이 자유롭게 발휘되도록 하라고 하였다. "오랫동안 아이의 본성을 살피고 관찰하라. 우선 그의 성격이 자유롭게 싹트우도록 내버려두고 구속하지 말라."[322]

반대로 부모가 아이에게 서둘러 개입하면 아이는 어떻게 될까? 아이는 본래 나약한 존재인데 부모가 개입함으로써 더 나약해진다. 왜냐하면 부모가 아이의 본성이 필요로 하지 않는 욕구를 주입시킴으로써 아이는 그 충족을 위해 부모에게 의존하기 때문이다.[323] 우리나라 아이들에게 시키는 각종 사교육도 이에 해당하지 않을까? 부모가 계획하고 주도하는 사교육이 아이들의 본래의 기질이나 바람에 늘 적합하다고 보기는 어려울 것이다. 그럴수록 아이는 부모에게 의존할 것이므로 우리 부모들은 돈과 수고를 들여 아이를 의존적이고 나약하게 만들고 있는 셈이다.

더 큰 문제는 부모의 개입이 아이의 본성을 억눌러 질식시킬 수 있다는 점이다. "억눌린 본성은 결코 되살아나지 않아요. 결국은 그 많은 경솔한 수고의 대가로, 아이들은 무기력과 무용성만 두드러지는 힘없는 정신의 소유자, 장점 없는 사람이 되겠지요."[324] 따라서 본성을 지지해주고 키워주는 것이 중요하다. 성격을 변화시키거나 천성을 굴복시키는 것이 아니라, 갈 수 있는 데까지 그 천성을 밀어주고 키워주며 그것이 쇠퇴하지 못하게 하는 것이다.[325] 그러기 위해서는 어떤 좋은 성격을 길러주려고 할 것이 아니라 본성이 나타나기를 조용히 기다리고 나타날 기회들을 제공하며, 적절치 못하게 행동하기보다는 오히려 아무것도 하지 않도록 자제해야 한다.

또한 루소는 교육의 수단으로 아이의 정념, 혹은 감정을 자극하는 건 부적절하다고 지적한다. "사람들이 어린아이를 교육시키려는 생각을 한 후 그들을 지도하는데 경쟁심, 질투, 선망, 허영심, 탐욕, 비굴한 두려움 외에 다른 수단을 생각해내지 못한 것은 참 이상한 일이다. 이 모든 것들은 정신을 타락시키고 악덕을 심어놓는데 가장 적합한 정념들이다."[326] 예컨대 자녀를 분발시키기 위해 성적이 뛰어난 다른 아이와 비교한다는지 하는 것이 대표적인 사례라 할 것이다.

처벌

루소는 어린아이를 아이 체질에 맞게 키우는 것이 아이의 행복을 위해 우리가 할 수 있는 전부라고 하였다. 간혹 '세 살 버릇 여든 간다'라고 하면서 늦기 전에 나쁜 성향이나 습관을 바로 잡아주려고 아이에게 정신 교육을 시키거나 훈육을 하는 경우를 볼 수 있다. 하지만 미래를 위해 과도한 훈육을 함으로써 아이의 현재를 불행하게 한다면 그건 루소의 표현대로 '언젠가 행복하게 해주리라는 희망으로 지금 한 사람을 불행하게 만드는 유감스러운 선견지명'이다.[327]

루소의 아동교육론이 기준으로 삼는 자유란 아이의 행동에 대한 책임을 물을 때에도 강제적이거나 억압적인 방식을 삼가는 것이다. 그렇다면 아이가 잘못을 저질렀을 때 그냥 내버려두라는 말인가? 그건 아니지만 중요한 건 일단 훈육, 즉 아이를 습관적으로 질책하거나 제약하는 일을 삼가는 것이다. 질책과 제약이 습관화되면 아이들의 성격은 자극을 받아 그곳을 벗어난 순간 보상을 받고자 난폭해지기 때문이다. 루소는 강조한다. "여러분의 제자에게 말로 하는 어떤 종류의 교훈도 주어서는 안 된다. 아이는 체험에 의해서 교훈을 얻어야 한다. 어떤 종류의 처벌도 가하지 말라. 왜냐하면 아이는 잘못을 저지른다는 것이 무엇인지 모르기 때문이다."[328]

여기서 체험에 의한 교훈이란 자신의 과오로 인해 아이 스스로 입게 될 피해를 직접 겪어보게 하는 것이다. "아이가 자기 방의 창문을 깨뜨렸다면 감기에 걸릴 것을 염려하지 말고 밤낮으로 바람이 들이치게 내버려두라. 아이가 어리석게 되는 것보다는 감기에 걸리는 편이 차라리 낫기 때문이다. 그리고 결국에는 아무 말도 하지 않고 창문을 갈아 끼운다."[329] 말로 훈계하기보다 있어야 할 물건이 없어짐으로써 생기는 피해를 스스로 깨닫게 해주는 것이다.

이처럼 나쁜 행동에 대해서는 처벌을 가하기보다 그것이 본인에게 가져올 나쁜 결과를 상기시켜주는 것이 바람직하다. 이를테면 거짓말을 했다는 이유로 아이를 벌하는 대신 거짓말의 나쁜 결과들, 즉 진실을 말하는데도 아무도 믿어주지 않는다든지 하는 결과들이 아이의 머리에 떠오르도록 하는 것이다.[330]

반대로 복종, 강요, 처벌은 단지 아이의 거짓말을 낳을 뿐이다. 복종이나 꾸중은 누구에게나 괴로운 것이어서 가능한 한 거짓 약속이나 맹세를 해서라도 벗어나려고 한다. 반대로 아이를 나무라지 않고 벌을 주지도 않는다면 아이는 거짓말을 하지 않을 것이다. 야단맞거나 벌 받지 않는다는 걸 확신하는데 왜 거짓말을 하겠는가?[331] 따라서 강제나 처벌이 없을 때 아이는 솔직해진다. 루소에 따르면 아이들의 거짓이나 악행은 억압적이고 권위적인 부모 혹은 잘못된 교육이 만들어내는 것이다.

가장 좋은 것은 아이로 하여금 거짓말을 하거나 약속을 지키지 못하게 할 상황을 아예 만들어내지 않도록 조심하는 것이다. "내가 없을 때 누가 저지른 일인지 알 수 없는 어떤 손실이 생기더라도 나는 에밀을 비난하거나 그에게 '네가 한 짓이야?'라고 묻지 않을 것이다. 그렇게 할 경우 그에게 부인하는 법을 가르칠 따름이다. 또한 그가 지킬 마음이 없는 것은 아예 약속하게 만들지 않는다. 아이에게 진실을 요구하면 아이는 진실을 숨기고 약속을 강요하면 약속을 어기게 만든다."[332] 요컨대 아이가 잘 이해하지 못하는 가치를 요구하거나 강요하는 건 아이를 그에 대해 일찌감치 부정적으로 만드는 것이다.

루소가 12세 이전에는 아이의 정신교육을 삼가라고 하는 것도 그 때문이다. 아이가 이성을 가지고 이치를 따지기 전이기 때문이다. 특히 아이를 질책하기 위해 이치를 끌어대서는 안 된다. "이 점에서 관습과 정반대로 하라. 아버지와 교사들은 꽤 일찍부터 꾸짖고 질책하거나 위협하면서 이치를 따져 말했다. 하지만 여러분의 제자와 이치를 따져서는 안 된다. 특히 그가 싫어하는 일을 인정하게 만들려고 그렇게 해서는 안 된다. 왜냐하면 불쾌한 일에 이치를 끌어대면 그는 이치를 지겨운 것으로 여겨, 머릿속에 그에 대한 불신을 키울 뿐이기 때문이다."[333] 사실 청소년들의 경우 부모의 말을 일단 들어보기는커녕 미리 반발부터 하는 건 루소의 말마따나 필시 훈계나 이치 자체를 불신하고 증오하는 것이다.

정신과 신체

따라서 이성이나 판단력이 생기기 전에는 아이의 정신이나 이성에 호소하겠다는 생각, 즉 교훈이나 도덕을 주입시키는 건 삼가야 한다. 선은 이성으로 이해할 수 있을 때만 선이 되기 때문이다. 말하자면 악이 생겨나는 것을 막으려고 서둘러 선을 행해서는 안 된다. 오히려 모든 지체가 이득이 된다고 생각해야 한다. 루소는 위험하지 않게 내일까지 연기할 수만 있다면 오늘 그 교훈을 주는 일은 삼가라고 하였다.[334] 아이에게 분명 필요하고 좋은 것을 설득시키지 말라는 충고는 언뜻 이해되지 않을 수 있다. 하지만 아이가 이해하지 못하는 것을 부과함으로서 반발심만 사거나 거짓으로 수긍하는 척하는 습관을 길러주기 보다는 그대로 두는 편이 더 나아 보인다.

실제로 아이들은 일차적 욕구, 즉 신체적 욕구를 가질 뿐 정신적인 대상들에 대해서는 별 흥미가 없다. 아이는 관념이 아니라 이미지와 감각을 주로 받아들이기 때문이다. 루소에 따르면 그들이 가진 모든 지식은 감각 속에 있고, 어떤 것도 이해력에까지 이르지 못한다.[335]

따라서 아이에게 가장 우선시할 교육이란 이성과 거리가 먼 것이어야 한다. 『신엘로이즈』에서 쥘리는 말한다. "지식을 뽐내는 모든 부모에게 공통된 오류는 태어날 때부터 아이들에게 이성이 있다고 가정하여 말할 줄 모르는 아이들에게 어른들에게 하듯 말하는 것입니다... 사람들은 아이들이 이해하지 못하는 언어를 그들에게 말함으로서, 아이들이 빈 말로 만족하고, 사람들에게서 듣는 모든 것을 반박하고 자신도 선생님들과 똑같이 현명하다고 믿으며, 논쟁과 반항에 물들어 가는 그런 습관을 길러주는 거예요."[336] 루소가 이와 같이 이성 위주의 교육에 반대하는 건 모든 지식 중 인간이 가장 늦게 그리고 가장 힘들게 획득하는 것이 이성이기 때문이다. 따라서 일찍부터 이성을 사용한 교육을 할 경우 아이에게 잘못된 의식과 습관을 키워줄 가능성이 크다는 것이다.

모름지기 아동기에는 아이다운 사고와 느낌을 갖도록 해야 한다. 쥘리는 말을 이어간다. "자연은 아이들이 어른이 되기 전에는 아이들이길 바라지요. 만일 우리들이 이 질서를 왜곡하려 한다면, 완전히 익지도 않은 채 맛도 없이 썩어갈 철 이른 과일을 생산하게 될 거예요. 아동기에는 그 나름대로 보고 생각하고 느끼는 방식이 있어요."[337]

그렇다면 아동기에 적합한 방식은 무엇인가? 그것은 역시 정신보다 몸을 단련하는 것이다. 앞서 말했듯 육체가 단련되기 시작하고 몇 년이 지난 다음 이성은 형성되기 시작한다. "정신이 단련되기 전에 몸이 튼튼해지는 것이 자연의 의도라 할 수 있어요. 아이들은 언제나 움직이며, 휴식과 성찰은 그들의 나이에 맞지 않아요. 그들의 정신도 육체도 한 곳에 죽치고 앉아 열심히 공부하는 그런 속박을 참지 못해요. 그러면 그들은 이성적이기보다는 까다롭고 무기력하고, 병약하며 둔해지지요."[338] 따라서 초등학교 아이에게 공부 잘한다고 칭찬하는 건 결과적으로 까다롭고 무기력한 아이가 되라고 격려하는 것인지도 모른다.

말보다 행동

루소는 아이에 대한 가르침이 말보다 행동으로 이루어져야 한다고 당부한다. 앞에서 보았던 훈육과 처벌을 삼가라는 것과 겹치지 않는 부분을 위주로 살펴보자. 아이에게 가능한 한 행동으로 말해야 하는 이유는 어린 아이들은 말로 하는 설명에 별로 주의를 기울이지 않고 거의 기억도 못하지만 그가 행한 일이나 타인이 그에게 했던 일은 잘 잊지 않는 법이기 때문이다. 따라서 교사는 행동으로 할 수 없는 것만을 말로 해야 한다.[339]

의무와 미덕의 경우라도 그것을 명령하거나 혹은 설교 식으로 하면 오히려 역효과가 날 뿐이다. "사람들은 미덕을 설교하는 것처럼 보이지만 실상은 아이들이 모든 악덕을 사랑하게 만든다. 사람들은 아이들이 독실한 신앙심을 갖기를 바라면서 교회로 데려가 지겨워하게 만든다. 끊임없이 기도를 중얼거리게 함으로써 신에게 더 이상 기도하지 않는 행복을 갈망하게 한다."[340]

가장 좋은 방법은 선이나 도덕을 설교하는 대신 부모와 교사가 모범적 언행을 실천하는 것이다. "선생들이여, 겉치레를 버리고 덕을 갖춘 선한 인간이 되시오. 당신들의 모범적인 언행이 제자들의 기억 속에 새겨져 그들의 마음속으로 스며들기를 기다리시오.

여러분이 아이 주변에 있는 모든 사람들의 스승이 되지 못한다면 아이의 스승도 되지 못할 것이다."[341] 아이들은 말을 듣고 배우는 것이 아니라 행동을 보고 깨우치기 때문이다.

3) 소극적 교육

지금까지 살펴본 루소의 아동교육론을 한 마디로 규정한다면 그건 소극적 교육이라고 할 수 있다. 루소가 특히 아동 교육에 대해 제창한 소극적 교육의 개념은 그 이전의 교육학에 대해 중요한 전환점이 되었다. 루소의 한결 같은 입장은 인간의 본성은 천성적으로 선하므로 외부의 요소에 의해 변질되지 않도록, 즉 악덕이 들어오지 못하게 막아야 한다는 것이다. 그러면 인간의 마음은 언제나 선할 것이다. 이 원리를 기초로 하는 것이 소극적 교육이다.[342] 말하자면 교육은 새로운 것을 길러주기보다는 본래의 모습을 잃지 않도록 하는 것이다.

물론 부모는 자녀가 힘과 지식에서 약하기 때문에 도와주어야 한다고 생각한다. 그리하여 자녀에게 방향을 제시하고 그리로 가도록 도와주는 경우가 보통이지만, 이는 사실 도와주는 것이 아니라 이끄는 것이다. 자녀는 어느 방향에서 욕구와 능력이 나타날지 모르는데 그 전에 방향을 제시한다는 건 미리 어떤 방향으로 이끄는 것에 다름 아니다.

소극적 교육에서는 아이가 무엇을 할지 또는 하지 말지를 말해 주는 것이 아니라 아이 스스로 경험을 통해 발견하도록 한다. 여기서 부모의 역할이란 아이가 나쁜 일에 빠져들지 않도록 보호하는 것 뿐이다. 오쇼가 말한 것처럼 자연계의 모든 존재들은 누가 가르치지 않아도 잘 성장하는 반면 오직 인간만이 타인의 명령과 권위 하에 살아간다. 부모나 교사의 역할은 아이가 성장하는 법을 가르치는데 있지 않고 이미 자라나고 있는 것을 지지하고 자양분을 제공하며 도와주는 것이다.[343]

그런데 소극적 교육은 모든 교육에 대해 소극적이란 뜻은 아니다. 루소는 아이에게 인간의 의무에 대한 인식을 심어주는 교육을 '적극적 교육'이라고 부르며, 감각기관의 훈련을 통해 이성을 준비시키는 교육을 '소극적 교육'이라고 불렀다.[344] 말하자면 인지교육이나 정신교육이 아닌 감각교육을 위주로 하는 것이 소극적 교육인 것이다.

동작과 표현

루소는 말하기를 '산다는 건 단지 숨 쉬는 것이 아니라 기관들, 감각들, 능력들, 즉 우리에게 존재감을 부여하는 모든 부분들을 사용하는 것'이라고 하였다.[345] 따라서 교육이 삶을 잘 살 수 있도록 도와주는 것이라면 그것은 인간의 모든 부분을 활용하면서도 선한 천성이 타락하는 것을 방지하는 것이 되어야 한다.

아이의 행동과 심리를 잘 이해했던 루소는 아이의 발달에 있어 동작과 직접적인 표현 욕구의 중요성을 강조한다. 아이는 이야기와 교훈으로 배우기보다는 동작을 통해 체험을 하게 된다. 단지 걷고, 만지고, 헤아리고, 측정하는 것만으로 대상을 평가하는 법을 배우게 된다. 특히 아이는 계속 움직이면서 사물들을 관찰하고 자기 동작의 결과들을 인지함으로써 교훈을 얻는다. 따라서 신체가 더 강해지고 튼튼해질수록 더 큰 인지능력을 얻게 되는 것이다.[346]

그러나 사람들은 아이 스스로 하는 동작의 중요성을 이해하지 못한 채 아이를 서둘러 가르치려 한다. 루소는 아이가 너무 일찍 말하거나 단어를 너무 많이 알게 되는 것을 경계했다. 활동은 자연스럽게 하는 것이 중요한데 그러기 위해서는 본능과 홍미가 일깨워져 기쁘게 할 수 있는 시점까지 기다려야한다는 것이다. 따라서 아이는 스스로 충동과 욕구를 느끼기 전에 읽고 쓰는 것을 배우면 안 된다. 또한 중요한 것은 아이가 책이나 교훈을 통해서가 아니라 세상의 실제 사물들과 직접적인 접촉에 들어가야 한다는 점이다. 그 점에서 사고나 성찰의 욕구는 점진적으로 일어나야지 너무 일찍 깨어나면 안 된다.

따라서 루소는 아이 때부터 사유를 많이 해야 한다는 로크(1632-1704)의 교육론에 분명히 반대한다.[347] 가장 먼저 발달하고 자연스럽게 우러나오는 것은 감정인 반면 이성은 다른 능력들이 발달하고 난 다음에 발달한다. 아이 스스로 관심과 흥미가 무르익지 않은 상태에서 인지 능력이 발달하면 그것은 체득되지 못하므로 자기 것이 되지 못한다. 이러한 학습은 아이에게 나쁜 인상을 심어주어 예컨대 초등학생이 벌써 '공부는 지겨운 거야'하고 생각하는 것이다. 실로 교육은 본질상 느리게 진전되지만 인간은 너무 일찍 개입하여 균형을 깨트리고 만다. 따라서 발달과정을 단축시키려 하지 말고 오히려 지연시킴으로서 각 과정이 충분히 발달하도록 해주어야 한다.

지적 이성과 감각 교육

그렇다고 아이는 어떤 공부도 하지 않는다는 뜻은 아니다. 루소는 『에밀』에서 인간의 자연스러운 첫 공부는 주변의 대상들에 대해 자기 감각의 특징들을 시험해보는 공부, 즉 일종의 실험 물리학이라고 하였다. "사물들이 우리와 맺는 감각적인 관계들을 인식하는 것은 최초의 감각적 이성으로서 지적 이성의 토대가 된다".[348] 만약 책, 즉 지식이 아이의 손과 발 그리고 눈, 즉 감각을 대신한다면 그건 아이 스스로 추론하는 것이 아니라 다른 사람의 이성을 그냥 믿도록 가르치는 셈이 된다. 다시 말해 스스로 알지 못하도록 가르치는 것이다.

따라서 아이는 생각하는 법을 배우기 위해서라도 지성의 도구가 되는 사지, 감각, 기관을 단련시켜야 한다. 그리고 이 도구들을 최대로 이용하기 위해서는 그것들을 제공하는 신체가 튼튼해야 한다. 고대인들의 강한 정신이 체육 훈련으로 단련된 신체에서 비롯된 것처럼 훌륭한 신체야말로 정신의 작용을 쉽고 확실하게 만들어준다. 따라서 루소는 아이를 책에만 붙들어두는 대신 작업장에서 일거리를 준다면 그의 손은 정신을 위해 일할 것이라고 하였다.[349]

사실 자연의 이치상 감각적 존재는 신체 활동을 해가면서 그 힘에 맞춰 분별력을 키워간다. “그가 자기 보존을 위해 필요한 정도를 넘어서는 힘을 가질 때라야, 그 여분의 힘을 다른 용도에 사용할 수 있는 사변적 능력이 그에게서 발달한다. 그러므로 여러분이 제자의 지능을 키워줄 생각이라면 지속적으로 그의 신체를 단련시켜라.”[350] 말하자면 ‘잘 노는 아이가 공부도 더 잘 한다’는 것이다.

그렇다면 에밀은 어떤 모습일까? “그는 아무 것도 암기하지 못하지만 경험을 통해 많은 것을 알고 있으며 사람이 쓴 책은 잘 읽지 못하지만 자연이 쓴 책은 더 잘 읽는다. 또한 다른 아이들만큼 말을 잘 하지는 못하지만, 다른 아이들보다 더 잘 행동한다.”[351] 암기나 지식보다는 경험이 풍부하고 책보다는 자연을 더 잘 이해하며 말보다는 행동하는 아이로 만들고 싶다면 다른 것 없다. 그냥 책을 덮고 자연에 나가 놀게 하면 에밀처럼 되는 것이다.

소극적 교육은 훗날의 교육을 위한 준비 교육이기도 하다. 루소의 기본 입장은 인간은 배울 능력을 갖추었을 때 비로소 배울 수 있다는 것이다. 이를테면 진리와 선은 각각 진리를 이해할 수 있고 선을 사랑할 수 있게 될 때 배울 수 있는 것이다.[352] 따라서 그때까지는 진리를 주입하기보다는 오류로부터 보호하고 미덕을 심어주기보다는 악덕에 물들지 않도록 예방하는 것이 진정한 교육이다. 마찬가지로 마음을 정념으로부터 보호하는 것, 즉 에고의 이른 발달을 억제하는 것도 소극적 교육의 효과이다. "저는 제 학생의 마음을 청년기까지 정념으로부터 보호해주었습니다. 정념이 막 싹트려할 때 그것을 억압하는 적절한 배려를 통해 그것의 발달을 늦춥니다."[353]

사실 소극적 교육의 필요는 악덕과 오류를 예방하는 것뿐 아니라 우리가 아이의 본성을 잘 알지 못한다는 점에도 있다. 아이의 본성은 개별적 차이로 인해 한 명 한 명에 대한 이해가 어려우며 획일적 교육 시스템 하에서는 더더욱 그러하다. 따라서 본성의 고유의 표현을 발견할 수 있으려면 관찰할 필요가 있다. 아이가 자연적 충동과 느낌을 가능한 한 표출하게 한 다음 그의 길을 가리켜 주어야 한다.

따라서 루소는 교사에게 아이들을 성급하게 판단하지 말 것을 당부한다. "아이들이 오랫동안 자기를 드러내고 증명하고 확인하도록 한 연후에 그들에 대해 방법을 채택하라. 여러분은 시간을 낭비하고 싶지 않다고 말할 것이다. 하지만 여러분은 교육을 잘못 받은 아이가 전혀 교육을 받지 못한 아이보다 더 현명하지 못하다는 사실을 알지 못한다."[354]

소극적 교육은 많은 것을 가르치는 것이 아니라 올바르고 분명한 것만 가르치는 것이다. 루소는 아이가 설령 아무 것도 모른다 할지라도 잘못 생각하지만 않는다면 문제될 것 없다고 하였다. 본디 좋은 것은 천천히 오고 나쁜 것은 무리지어 달려오므로 후자로부터 지켜주는 것이 더 시급하다는 것이다.[355]

2 • 청소년 교육

사회 속의 자연인 i)

자유와 자연의 가치 속에서 아동기를 보낸 에밀은 어떤 모습의 청소년이 되었을까? 소년 에밀은 자율적이고 독립적이며 그의 관심사는 타인이나 세상이 아니라 주로 자기의 욕구와 필요에 관한 것이다. 『에밀』의 교사는 에밀이 어릴 적부터 스스로 판단 및 행동하도록 하였다. 교사가 아이 대신 모든 것을 생각해준다면 아이는 아무 것도 생각하지 못할 것이기 때문이다. 에밀의 교사는 말한다. "나의 제자, 아니 자연의 제자로 말할 것 같으면 일찍부터 자급자족하게끔 훈련을 받아 다른 사람들에게 의존하는 습관이 없고 자신과 관련된 모든 것에서 스스로 판단하고 예측하고 추론한다. 그는 세상에서 일어나는 일에 대해 하나도 알지 못하지만 자신에게 적합한 일은 매우 잘 할 줄 안다."[356] 타인으로부터 독립적이고 모든 면에서 자율적이며 자신에게 적합한 것에 집중하는 에밀은 에고로부터 거의 자유로운 '사회 속의 자연인'으로 성장하게 된 것이다.

이처럼 루소가 에밀을 '사회 속의 자연인'으로 만드는 교육에서 가장 역점을 둔 덕목은 바로 타인에 대한 의존이 없는 것, 즉 독립성이었다. 에밀의 교사는 말한다. "에밀은 다른 사람들을 고려하는 일 없이 자신을 고려하며 다른 사람들이 그를 조금도 생각해주지 않아도 괜찮다고 생각한다… 그는 건강한 신체와 민첩한 사지, 편견 없는 올바른 정신, 정념이 없는 자유로운 마음을 가지고 있다. 모든 정념들 가운데 가장 으뜸인 이기심은 마음속에서 아직 거의 일깨워지지 않았다. 누구의 휴식도 방해하지 않고, 자연이 허락하는 한도 내에서 그는 만족한 채 행복하고 자유롭게 살아왔다. 여러분은 이렇게 15세가 된 아이가 지나간 날들을 허비했다고 생각하겠는가?"[357] 에밀이 에고를 일깨우지 않은 채 15년간이나 살아왔다면 그건 소극적 교육의 힘일 것이다. 행복하고 자유롭게 살면서 선한 본성을 보존할 수 있었다면 그는 15년을 낭비하지 않은 것이다.

루소는 에밀을 '도시에서 살도록 만들어진 자연인'이라고 하였는데, 에밀은 숲 속 깊숙이 들어가지 않고도 자연인이 될 수 있었던 것이다. 한마디로 사람들과 더불어 살더라도 그들과 다르게 살 수 있는 것, 루소는 그것이 가능하다고 하였다. 에밀에 대해 좀 더 알아보자. '소극적 교육'의 소산인 에밀은 사회에 나가서도 소극적 태도를 견지한다. 그것은 행동이 소극적이란 말이 아니라 유익하지 않은 것으로부터 자신을 보호한다는 뜻이다. 특히 자기를 구속하는 관례나 관습 그리고 권위, 명령 등에 관심을 두지 않는다. 그리고 그는 사람들을 의식하고 관심을 끌기 위해 수다를 떠는 일도 삼간다.[358]

그는 또한 자율적으로 탐구하되 스스로를 과신하지 않고 필연의 멍에를 받아들인다. 우선 그는 자기 눈에 보이는 것이면 무의식적으로 사람들에게 질문하는 대신 스스로 관찰하여 알아내려고 애쓴다. 실로 관찰하는 습관은 그의 큰 장점이다. 그는 예기치 못한 곤경에 처하더라도 실제로 있는 것만을 보고 위험을 액면 그대로 받아들여 다른 사람보다 덜 당황할 것이다. 예고에 물들지 않은 에밀은 마음을 개입시키지 않고 사물을 있는 그대로 봄으로써 침착함을 유지하는 것이다. 또한 일찍부터 '사물에 대한 의존'을 통해 필연을 받아 들였기 때문에 에밀은 불가피하거나 자기 능력의 범위를 초과하는 것에 대해서는 공연히 집착하여 고통을 받는 대신 체념함으로써 마음의 평화를 누린다.[359]

에밀은 이처럼 자연을 가치로 하여 키워진 만큼 다른 이들과 닮지 않았다. "그는 인간이 만든 인간이 아니라 자연이 만든 인간이다. 여러분은 다른 학생들에게 없는 숭고한 감정을 나의 학생에게서 발견하고는 놀란다."[360] 에밀에게 보기 드문 고상함과 선함이 있다면 그것은 인간 본래의 성품을 보존한 까닭일 것이다.

청소년 교육

교육 이론가들은 아이들을 합리적 존재로 생각한 반면, 루소는 12세 이전의 아동은 이성적 추론보다는 감각을 통한 자연의 가르침을 받는 나이라고 보았다. 따라서 그는 12세 이전에 대해서는 소극적 교육, 12세 이후 청소년에 대해서는 비로소 이성을 동반한 지식교육, 즉 적극적 교육을 주장했다. "12세가 되도록 여러분의 제자를 건강하고 건장하게 인도할 수 있다면 첫 가르침에서부터 그의 이해력의 눈은 이성을 향해 열릴 것이다. 편견도 습관도 없는 그는 여러분의 손에 이끌려 가장 현명한 인간이 되어 가리라."[361] 다시 말해 루소는 12세 이후에 지식교육을 시작해도 결코 늦지 않다고 본 것이다.

루소가 12세를 기준으로 삼은 것은 그때가 아이의 힘이 욕구를 앞지르는 때라고 보았기 때문이다. 그때 그는 남아도는 힘을 자기에게 이로운 일에 사용하려 할 것이며 그때가 바로 학습을 해야 할 시기라는 것이다. 하지만 그때 중요한 것은 아이에게 유용한 지식을 선택하는 것이다. 루소에 따르면 지식의 많은 부분은 거짓되고 쓸모가 없으며 아이의 행복에 기여하는 약간의 지식들만이 공부할 가치가 있는 대상이다. 따라서 관건은 무엇이 유용한지 아는 것이다. 말하자면 배움의 기준은 '이것은 무엇에 소용됩니까?'라는 질문인 것이다.[362]

유용성의 기준은 그것이 자기의 현재 행복에 기여하는지 여부이다. 그리고 중요한 것은 그 판단을 아이 스스로 해야 한다는 것이다. "아이가 배워야 할 것을 교사가 제시하는 대신 아이 스스로 구하고 발견하게 하되 교사가 할 일은 그것을 아이의 힘이 미치는 곳에 두는 것이다. 예컨대 방향 찾기의 효용을 배우기 위해서는 숲에서 길을 잃게 해보는 것이 필요하다. 그러면 이날의 가르침을 평생 잊지 않을 것이지만 만약 모든 것을 방 안에서 추측만 하게 했다면 바로 다음날로 잊혀졌을 것이다."[363] 요컨대 준비는 교사가 하되 효용성 여부는 아이 스스로 느끼도록 하는 것이다.

자신에 대한 유용성을 기준으로 삼기 때문에 에밀이 아는 지식은 거의 자연의 지식이다. 반대로 그는 다른 과목들, 예컨대 역사, 형이상학, 윤리학 등에 대해서는 알지 못한다. 그에게는 대상의 본질이 아니라 오직 자기에게 유익한지 그리고 흥미를 끄는지가 중요하다. 그는 사람들이 다른 것이 중요하다고 해도 그 의견을 무시한다. 그렇지만 그는 대상을 자신과의 관계로만 판단하기 때문에 그의 평가는 확실하고 정확하다.[364]

루소는 로빈슨 크루소를 예로 든다. 고립된 인간의 입장에 서보면 어떤 사물이 어떻게 유용한지 알 수 있다. "다른 인간의 도움과 연장들도 없이 자기 생존과 보존에 대비하는 로빈슨 크루소야말로 모든 연령의 사람들에게 흥미로운 대상이며, 아이들을 유쾌하게 해줄 수 있는 소재이다… 에밀은 자기 자신이 로빈슨 크루소라고 생각하고 그의 행동을 보면서 빠트린 것은 없는지, 무엇이 쓸모 있는 것인지 생각해볼 수 있을 것이다."[365] 『로빈슨 크루소』는 에밀이 읽을 첫 번째 책이자 가장 좋은 자연교육 교과서인 것이다.

공부의 기준

루소는 청소년이 어떤 공부를 할 것인가 대해, 무엇보다 저절로 관심이 가는 지식들, 즉 본능에 따라 구하게 되는 지식들에 관심을 가져야 한다고 하였다. "그러나 사람들은 장래의 이해관계라든지 어른이 되었을 때의 행복, 성인이 되어 받을 존경처럼 아이들과 관계없는 동기들을 거론함으로써 잘못을 범한다."[366] 아이들의 정신과 아무 상관도 없는 그런 공부에 아이들이 얼마나 관심을 기울일 수 있을까? 오늘날 우리 교육이 풀어야 할 문제의 하나가 18세기에 이미 제기된 것이다.

특히 루소는 교육자들이 선택하는 지리학, 역사, 언어 등의 공부들은 아이들의 효용과는 너무나 거리가 멀다고 하였다. 그런데 루소는 자신이 쓸모없는 교육으로 어학공부를 포함시킨 데 대해 아마도 사람들이 놀랄 것이라고 말한다. 하지만 그는 12세내지 15세가 될 때까지, 신동이 아니라면, 어떤 아이도 제대로 두 가지 언어를 배울 수 없다고 단언한다. 그가 드는 이유는 어학공부가 단지 단어공부가 아니기 때문이라는 것이다. "언어는 기호가 바뀌면서 그것이 나타내는 관념도 바뀐다. 각 언어에는 저마다 특별한 형식이 있어서 두 가지 언어를 알려면 두 가지 형식을 알아야 하고 그러기 위해서는 관념들을 비교할 줄 알아야 한다. 그런데 관념도 거의 이해할 수 없는데 어떻게 그것들을 비교할 수 있겠는가?"[367] 여기서 언어를 안다는 건 단어를 알고 그것을 조합하여 말을 만드는 차원이 아니라 그 언어의 맥락과 뉘앙스 그리고 문법의 구조까지 이해하는 것을 말한다. 그저 일상적인 의사소통을 할 수 있다고 해서 그 언어를 이해한다고 볼 수는 없기 때문이다.

루소는 아이들의 언어 구사를 예로 든다. "나는 대여섯 개 언어를 말한다고 믿고 있는 어린 신동들을 본 적이 있다. 나는 그들이 라틴어, 프랑스어, 이탈리아어로 연달아 독일어를 말하는 것을 들었다. 그들은 확실히 대여섯 개의 외국 어휘를 사용했지만 항상 독일어로만 말했다. 요컨대 단어를 바꾸지 말을 바꾸지는 못하는 것이다. 아이들은 하나의 언어 밖에 결코 알지 못할 것이다."[368] 루소에 따르면 언어와 어휘는 다른 것이다. 따라서 한국 어린이가 단어를 배워서 말하는 영어는 영어 단어를 사용한 한국말인 것이다.

나아가 루소는 아이들에게 역사공부를 시키는 것은 더 큰 잘못이라고 하였다. 역사적 사건들을 이해한다는 건 그 인과관계에 대한 인식과 분리될 수 없는데 과연 아이들의 머릿속에 복잡 미묘한 인과관계들이 쉽게 파악될 수 있겠느냐는 것이다.[369] 인과관계가 복잡하다는 점에서는 역사상의 모든 사건들이 그러하지만 하나만 예로 들어보자. 1914년에 발발한 제 1차 세계대전에 당사국인 오스트리아 대 세르비아 외에 영국, 러시아, 독일, 프랑스 등 유럽의 다른 나라들이 대거 참전한 이유를 설명한다고 해보자. 19세기 말부터 이어진 제국주의적 팽창과 대립의 피로가 누적된 결과라고 설명하면 아이들에게 이해가 될 것인가? 아니면 그에 못지않게 중요하게 거론되는 '외치의 효과', 즉 각국의 내정에 대한 국민들의 불만을 외국과의 전쟁이라는 배출구를 통해 해소하려 했다는 위정자들의 정치적 책략을 이해시킬 수 있을까? 역사 전공자의 입장에서 볼 때도 아이들에게 역사공부가 옛 이야기 혹은 암기과목의 범주를 벗어날 수 있을지 의심스럽긴 하다.

루소는 오히려 아이에게는 일상생활에서 보고 듣는 모든 것이 자극이 되며 아이는 그것을 자기 안에 기록해둔다고 하였다. 따라서 아이가 인식할 수 있는 대상들을 선택하는 것이 중요하며 교사는 그가 알아야 할 것들을 끊임없이 제시하고 몰라야 할 것들을 감추어야 한다는 것이다. 루소는 이 교육은 느리게 진행되며 아이를 천재로 만들거나 교사를 빛나게 해주지는 못할 것이라고 하였다. 왜냐하면 아이의 판단력은 밖으로 잘 드러나지 않기 때문이다. 하지만 이 과정은 아이의 최초의 능력을 기르는 참된 기술인 것이다.[370] 요컨대 루소의 청소년 교육은 아이가 자기 삶 속에서 경험한 일 혹은 바라보는 대상들에 흥미를 느끼고 궁금증을 풀어나가게끔 교사가 준비하고 도와주는 것이다.

교육과 유용성

이처럼 교육의 유용성을 대전제로 삼은 루소는 모든 공교육의 공허함을 질타했다. "그렇게 많은 학교와 대학이 알아야 할 중요한 것을 가르쳐주지 않는다면 다 무슨 소용이 있습니까?" 그의 지적은 예나 지금이나 타당하다. 그만큼 교육은 변하지 않은 것이다. "사람들이 젊은이들을 순전히 이론적인 연구에 매달리게 한 뒤 전혀 경험도 없는 상태로 단숨에 세상에 내던지는 것을 보라. 사람들은 우리를 사회에 맞추어 교육한다고 주장하면서도 우리들 각자가 독방에서 혼자 생각에 잠기거나 세상에 초연한 사람들과 공허한 문제들을 논하면서 일생을 보내게 될 것처럼 교육시킨다."[371] 학교에서 배우는 내용들이 실제 삶의 문제들과 동떨어진 것이라면 과연 공교육의 의미는 어디서 찾을 것인가?

이에 반해 에밀의 교사는 에밀에게 살아가는 법을 가르쳤다고 자부한다. 교사는 그에게 '자기 자신과 함께 사는 법'과 더불어 '자기 빵을 버는 법'을 가르쳐주었기 때문이다. 루소가 볼 때 삶에 유용한 교육이란 두 가지, 즉 내적으로 자기 존재를 이해하고 사랑하는 법 그리고 외적으로는 자기 생계에 필요한 것을 얻을 수 있는 법을 배우는 교육이다.

스스로 배우기

루소는 배움의 내용에 이어 배움의 방법으로 무엇보다 아이 스스로 이해하는 것이 중요하다고 강조한다. 왜냐하면 스스로 배운 사물에 대해서는 훨씬 더 분명하고 확실한 개념을 갖게 될 뿐 아니라 개념들의 관계를 창의적으로 현실에 적용할 수 있기 때문이다.[372]

따라서 루소는 아이의 호기심을 결코 서둘러 충족시켜서는 안 된다고 하였다. “아이의 이해력이 미치는 범위 내에서 문제들을 내주고 그가 그 문제들을 풀게 내버려둬라. 무엇이든 여러분이 말해주었기 때문이 아니라 그가 스스로 이해했기 때문에 알게 하라.”[373] 만약 교사의 권위가 아이의 이성을 대신하게 되면 아이는 더 이상 추론하지 않을 것이며 결국 다른 사람의 의견대로 움직이는 허수아비가 될 것이다. 따라서 아이가 질문할 경우 교사는 호기심을 채워주기 위해서가 아니라 호기심을 돋우어주기 위해 필요한 만큼만 대답을 해야 한다.[374]

또한 스스로 배우는 데 있어 중요한 것은 아이가 배우는 것을 즐기고 사랑하는 취향을 길러주는 것이다. 공부하는 습관을 기르는 것도 중요하지만 그것이 결코 강제적이면 안 되고 언제나 즐거움이나 욕망이어야 한다는 것이다. “무슨 일이든 그가 지겨워하기 전에 그만 두라. 아이가 배운다는 것보다 더 중요한 것은 자기 뜻에 반해서 어떤 일도 하지 않는다는 것이기 때문이다.”[375]

실로 아이가 공부를 하는 데 있어 배우려는 열정보다 더 확실한 수단은 공부에 대해 반감을 갖지 않는 것이다. "아직 그가 좋아할 수 없는 공부가 그에게 진절머리 나는 것이 되지 않도록, 또 일단 분명히 갖게 된 이런 혐오로 인해 그가 나중에도 공부를 멀리 하지 않도록 특히 주의해야 할 것이다."[376] 루소는 아이가 자기에게 즐겁거나 유용한 것이 아니면 아무 것도 배우려 하지 않을 거라고 확신했다.

선행 학습

흥미나 유용성을 기준으로 볼 때 선행학습은 바람직하지 않은 것이지만 루소 당시에도 그 옹호자들은 있었던 것 같다. 루소는 선행 학습론자들, 즉 '미리 배우지 않으면 필요할 때 사용할 수 없다'라고 말하는 사람들에게 답한다. "아이에게 제 나이에 유용한 모든 것을 가르치도록 애써라. 여러분은 왜 오늘 그에게 맞는 공부를 무시하고 불확실한 미래의 공부를 시키고 싶어 하는가? 내가 아는 한 그것을 일찍 배운다는 건 불가능하다는 사실이다." 루소는 선행학습이 불가능한 이유로 '우리의 진정한 스승은 느낌과 경험인데 인간은 오로지 자신이 처해 있는 관계 속에서만 인간에게 적합한 것을 느낄 수 있기 때문'이라고 하였다.[377] 이 말의 뜻은 어떤 대상을 진정으로 배우려면 그 유용성을 스스로 경험하고 느낄 수 있어야 하는데 경험과 느낌은 현재 내가 처한 조건에서만 가능하다는 것이다. 그 점에서 미래의 대상, 즉 아직 오지도 않은 것의 유용성을 현재의 내가 경험하고 느낄 수는 없는 노릇이다.

사실 선행학습은 대체로 비교하는 풍토의 산물이다. 또래보다 앞서거나 최소한 뒤처지지 않겠다는 의지에서 나온 것이다. 루소는 아이를 다른 아이들과 비교하는 일은 절대로 하지 말아야 한다고 하였다. 아이를 공부시키기 위해 질투나 허영심을 자극하느니 차라리 배우지 않는 편이 훨씬 낫다고 하였다. 해로운 정념을 키움으로써 아이는 공부로 얻은 것보다 훨씬 더 많은 것을 잃게 되는 것이다. 다만 아이의 진보를 해마다 기록하여 자신을 넘어서도록 격려하는 것은 바람직하다.[378] 당연한 말 같지만 공부든 뭐든 성취는 과거의 나를 넘어서는 것에 의미를 두어야 한다.

정념과 관능

청소년기의 가장 큰 특징은 사랑이나 연민 같은 감정과 자의식이 생겨나기 시작한다는 것이다. 자의식, 즉 내가 타인과 연결되면서도 분리된 자아로 존재한다는 마음이 사랑의 마음, 즉 상대에게 가장 중요한 존재가 되고 싶다는 마음과 결합하면 에고의 출현은 불가피하다. 아이에게는 에고의 억제가 가능하지만 일단 사춘기가 시작되고 타인에 대한 관심이 생겨나면 성적 욕구와 자의식이 결합하여 에고의 출현을 자극하는 것은 시간문제다.

이 때 유의할 점은 정념이 질서 있고 자연스럽게 자리 잡도록 하는 것이다. 다시 말해 이성과 양심이 그를 관리할 수 있을 정도로 충분히 발달할 때까지 에고의 출현을 지연시킴으로써 정념을 가능한 한 온전한 형태로 만들어내는 것이다. 왜냐하면 너무 이른 시기에 성적 정념에 빠질 경우 큰 대가를 치르기 때문이다. "나는 일찍부터 타락하여 여자에 빠져 방탕하게 놀아나는 젊은이들이 몰인정하고 잔인한 것을 익히 보아왔다. 단 하나의 대상으로 가득 찬 상상력은 다른 모든 것들을 거부하기 때문에 그들은 동정심도 자비심도 몰랐다. 그들은 하찮은 쾌락을 충족시키기 위해 부모는 물론 우주 전체라도 희생시키려 들었을 것이다."[379] 청소년의 상상력이 성적 정념 같은 강력한 어떤 것으로 가득차면 오직 그 충족에만 사로잡혀 인간성에 필요한 다른 가치나 덕목은 안중에 없게 되는 것이다.

따라서 루소는 성적 정념의 발달을 최대한 늦출 것을 권하는데, 그 방법은 정념이 생겨나고 발달해가는 기간을 되도록 연장시켜 정리할 수 있는 시간을 갖도록 하는 것이다. 그럼으로써 정념에 질서와 규칙을 부여할 수 있다.[380]

요컨대 여기에도 루소의 교육론의 주요 원리인 '가능한 한 모든 것을 늦춰라'가 적용된다. 그는 적어도 20세까지는 관능의 유혹을 늦추라고 말한다. "신체는 20세까지 성장한다. 신체는 자양분을 필요로 하므로 성욕의 절제는 자연의 질서에 합치한다. 그것을 위반할 때는 대개 자신의 체질을 해치는 법이다."[381] 20세까지 신체를 성장시키는데 써야 할 에너지가 관능에 투입되면 그 만큼 신체의 성장 나아가 체질에 지장을 주게 된다는 것이다.

관능과 순결

그런데 아이에게 관능의 위험에 대해 가르칠 때 이른 나이부터 성급하게 교훈들을 반복 주입하는 것은 금물이다. 그러면 아이는 정작 그 나이에 도달했을 때 그것을 비웃게 될 것이기 때문이다. 따라서 말이 이해될 때까지 기다려 그 때 가서 자연의 법칙을 위배한 사람들이 치르는 '육체적 정신적 대가'를 보여주어야 한다. 그리고 또한 성행위에 대해 말해주면서 그것이 '한 사람에게 한정될 때 더 감미로우며 정조와 수줍음을 동반할 때 더 매력적'이라는 점을 알게 해주어야 한다.[382] 요컨대 청년기 교육에서는 방탕과 순결을 대비시켜 성적 순결의 가치를 깨우치는 것에 역점을 두어야 하는 것이다.

나아가 관능 뿐 아니라 영혼의 결합이 얼마나 매력적인지 깨닫도록 해야 한다. 에밀의 교사는 말한다. "사랑의 마음이 거짓이라고 부인하는 기만적인 교훈들은 전혀 설득력이 없다. 나는 그가 갈망하는 달콤한 감정을 인생 최고의 행복으로 묘사할 것이다. 사실이 그렇게 때문이다. 나는 그가 거기에 몰두하되, 마음과 마음의 결합이 관능의 매력에 얼마나 매력을 더해주는지 느끼게 만들면서 방탕에 대한 혐오감을 불러일으키고, 그를 사랑을 느끼는 사람인 동시에 현명한 사람으로 만들 것이다."[383]

교사는 에밀의 관능을 '늦추기 위한' 방안들을 궁리한다. "우선 '위험한 연령'이 가까워졌을 때 그에게 기분을 자극하는 광경을 보여주어서는 안 된다. 그의 교제, 소일거리, 오락거리를 조심스럽게 골라준다. 그를 매혹시키지 않으면서도 마음을 움직이고, 감각을 동요시키지 않으면서도 감성을 키우는 감동적이지만 절제 있는 장면들만을 보여주어야 한다."[384] 정념이 지나치면 언제나 해가 된다는 걸 그가 잊지 않도록 해야 한다는 것이다.

또한 힘든 신체 노동도 효과적이다. 루소는 이를 '다른 감각적 대상을 통해서 그의 관능을 속이는 것'이라고 하였는데 말하자면 고된 신체 노동을 시킴으로써 관능으로 향하는 상상력의 활동을 억누르는 것이다. 그럼에도 불구하고 그가 계속 위험에 둘러싸인다면 남은 방법은 그 위험의 결과를 보여주고 스스로 자신의 행동에 대한 책임을 지게 만드는 것이다.[385]

청년기와 규제

그런데 사춘기에 들어선 에밀에게 교사의 권고가 효과가 있을까? '중2병'이란 말이 있다는 건 반항과 일탈이 특징인 사춘기 청소년에게 훈육은 고사하고 대화 자체가 어렵다는 것 아닌가? 하지만 에밀은 일반적인 경우와 다르게 교육받았다. 어릴 적에 복종을 강요당한 아이들은 사춘기에 규제를 거부함으로서 반항하거나 보복한다. 반대로 즐겁고 자유로운 아동기를 보낸 에밀은 그럴 위험이 없다. 에밀은 일반 아이들이 사춘기에 누리려 하는 자유를 어린 시절에 누리면서 지냈기 때문에 사춘기에는 오히려 규칙을 갖기 시작한다. 다른 아이들은 규칙을 끔찍하게 여기지만 에밀은 규칙을 혐오한 적이 없기 때문에 그에 대해 부정적이지 않으며 오히려 이성의 구속에 복종하는 것을 자랑으로 삼는다.[386] 따라서 다른 학생들에게는 사춘기가 반항 혹은 방종의 시기이지만 에밀에게는 이성적으로 생각하는 시기이다.

그리하여 교사는 에밀의 아동기부터 보존해 온 선한 천성의 결실을 사춘기에 보게 되는 것이다. "학생이 어른이 되었을 때 여러분의 제자를 친구이자 한 사람의 성인으로 대우하더라도 그는 탈선하지 않을 것이다. 여러분의 교육이 이제야말로 효력을 발휘하기 때문이다."[387] 자신의 행복한 아동기를 가능케 해준 교사에게 애착과 감사의 마음을 가진 에밀이 교사에게 순종하는 것은 이상한 일이 아니다.

그러나 사춘기의 시작과 함께 출현하기 시작하는 이기심이 온전한 형태를 띠도록 확실하게 하려면 그 발현을 늦추는 것만으로는 부족하다. 이기심이 발달하기 시작할 때 교육을 받아야 한다. 이제까지는 악이 들어오는 것을 막았다면 이제부터는 선을 길러 주어야 하는 것이다. 요컨대 소극적 교육은 이제 다른 것에 의해 대체되어야 한다. 그 중 하나는 미덕을 직접 실천하도록 하는 것이다.

교육과 미덕

루소는 학생을 선하게 만들려면 그에게 선을 가르칠 것이 아니라 그가 선을 행하도록 해야 한다고 하였다. 왜냐하면 사람은 선을 실천함으로써만 선하게 되기 때문이다. 따라서 학생이 그의 능력으로 할 수 있는 모든 선행을 실천하되 단지 돈이 아니라 마음을 써서 남을 돕도록 해야 한다.[388]

에밀은 주로 자신에게 관심을 두며 자기에게 유익한 일 위주로 행동하지만 선행을 하는 데는 적극적이다. 자연적인 감정을 간직한 그는 남이 괴로워하는 걸 보면 자기도 괴롭기 때문이다. 그래서 에밀은 타인의 고통에 진심으로 개입하는데, 예컨대 그는 괴로움을 당하고 있는 사람을 보면 그들이 괴로워하는 이유를 묻고 두 사람이 서로 미워하는 것을 보면 그 이유를 알고 싶어 한다.[389]

이러한 적극적 공감은 타인의 고통에 대해 냉정한 마음을 가졌다면 불가능한 것이다. 에밀은 고통을 겪고 있는 상대와 자신을 동일시할 줄 안다. 그는 '불행한 사람들의 운명이 자신의 운명이 될지도 모른다는 것, 예측할 수도 없고 피할 수도 없는 수많은 사건들이 언제라도 그를 그런 상태에 빠뜨릴지도 모른다는 것'을 교육을 통해 배운 것이다.[390] 교사는 에밀에게 고통이 인간의 보편적 운명임을 깨닫고 타인의 고통에서 자신을 느껴보도록 했다. '그가 고통을 겪지 않기를 내가 바란다면 그것은 나 스스로 고통을 겪지 않기 위해서이다. 나는 나 자신에 대한 사랑 때문에 그의 안에 있는 나 자신에게 관심을 두며...'[391] 에밀은 선행과 미덕이 자신에게 진정으로 득이 된다는 걸 깨닫는다. 바른 양심이 주는 평화는 영속적인 행복을 향유할 수 있게 해주기 때문이다.

그런데 에밀의 절대적 신뢰를 얻는 데 있어 교사가 절대적으로 완벽해질 필요는 없다. 루소는 말한다. "흔한 잘못의 하나는 언제나 교사가 제자에게 위엄 있는 완벽한 인간으로 보이고 싶어 하는 것이다. 완벽한 사람들은 결코 사람들을 감동시키지도 설득시키지도 못한다. 학생의 약점을 고쳐주고 싶으면 오히려 그에게 여러분의 약점을 보여주어라. 그가 겪고 있는 것과 똑같은 싸움이 여러분의 내면에서도 벌어지고 있음을 알게 하고, 여러분을 본받아 자신을 이기는 법을 배우게 하라."[392] 루소의 말처럼 사람은 상대가 자기와 같은 고민이나 약점이 있다고 생각할 때 마음을 여는 법이다. 그렇다면 교사와 부모는 학생과 자녀에게 완벽한 모델로 비쳐지기보다는 불완전하지만 나아지려고 노력하는 모습으로 더 공감을 얻을 수 있을 것이다.

사회 속의 자연인 ii)

앞에서 우리는 루소가 생각하는 '사회 속의 자연인'으로서 에밀의 특징을 살펴본 바 있다. 그런데 그것은 독립심 및 소극적 교육과 관련된 측면들을 위주로 한 것이다. 이제 교육을 마친 '사회속의 자연인'인 에밀은 종합적으로 어떤 모습을 보여줄 것인가?

우선 에밀은 사회생활을 하면서도 사회의 관습을 맹목적으로 추종하지 않는다. 물론 에밀도 사회의 일원으로서 의무를 수행하며 사람들과 교제한다. 하지만 너무 일찍 세상을 관습을 배운 사람은 일생동안 별 생각 없이 그것을 추종하고 자기가 무엇을 하고 있는지 제대로 알지 못하는 경우가 보통이다. 반대로 이해할 수 있는 나이까지 기다려 관습을 배운 에밀은 분별력을 가지고 기품있게 관습에 따른다.[393] 설령 에밀이 관습적 방식을 따르는 경우라도 그것은 그저 휩쓸리는 것이 아니라 남의 눈에 띄는 것을 피하기 위해서이다. 그는 사람들이 자기에게 주목하지 않을 때 가장 마음이 편하기 때문이다.[394]

에밀은 사람들을 싫어하거나 여론을 무시하진 않는다. 그러나 그는 막연하고 근거 없는 칭찬보다는 자기가 행한 미덕에 대한 인정을 즐긴다. "그는 '사람들이 나를 인정해주어서 기쁘다'라고 생각하는 대신 '사람들이 내가 했던 선한 일을 인정해주어서 기쁘다'라고 생각하는 것이다."[395]

이처럼 에밀은 사람들의 호의를 거부하지 않지만 남들이 그를 알기도 전에 평가해주었으면 하고 바라지 않는다. 또한 그는 사람들에게 인정받기 위해 인위적이거나 가식적인 태도를 취하지도 않는다.[396] "그는 (사교계에서) 사람들의 눈길을 끄는 장점을 갖고 있지 않고 갖기를 원하지도 않는다. 사람들 앞에 나서는 그의 태도는 소극적이지도 거만하지도 않으며, 자연스럽고 진실하다."[397]

나아가 그는 존경보다는 애정을 선호하고 인정보다는 호감을 원한다. 그는 자기가 다른 사람들의 마음에 들었으면 하고 바랄지언정 그들에게서 존경받았으면 하는 바람은 별로 없다. 따라서 그는 정중하기보다는 다정하고, 뽐내는 태도나 허영이 없으며 찬사보다는 호감의 표시에 더욱 감동받을 것이다.[398] 어려서부터 에밀은 지배나 권위를 모르고 살아왔으며 커서도 타인에게 우월한 존재로 비치기보다는 다정하고 호의적인 사람으로 여겨지고 싶은 것이다.

에밀은 사람들에게 말을 많이 하지 않으며 할 이유도 없다. 그는 남들이 자기에게 관심을 두는 것을 거의 바라지 않기 때문에 별로 말하지 않는다. 또한 해박한 지식보다는 올바른 감각과 건전한 판단력을 갖춘 그는 상대방이 기울이는 관심과 흥미를 헤아려 유익한 것이 아니면 말하려 하지 않는다. 그는 자기를 드러내기 위해

말을 하는 대신 상대의 관심사와 그에게 유익한 것만 말할 따름이므로 많은 말을 할 이유가 없다.[399]

교사는 에밀이 일을 할 때 늘 자신의 이해관계로부터 멀어져야 한다고 당부했다. 왜냐하면 사람은 이해관계를 일반화할수록 공정해지며, 공정해질 때 진리에 다가설 수 있기 때문이다. 이처럼 자기 이해관계로부터 자유로운 사람은 말을 할 때 솔직 담백하게 표현한다. "나의 에밀은 자신을 위해 부탁할 일이 없기 때문에, 대개 단순하고 비유가 없는 말을 쓰게 될 것이다. 그는 본래의 의미대로 말을 하고, 오로지 상대방이 알아듣도록 하기 위해 말한다."[400]

실로 솔직한 화법이 최선의 화술이다. 에밀은 말하면서 자기 영혼의 움직임을 전달하는데 그의 솔직함은 다른 사람들의 교활한 웅변보다 더 매혹적이다. 그는 자신의 느낌을 전달하기 위해서 느낀 바를 그대로 내보이기만 하면 된다.[401]

3 • 여성 교육

여성의 의무

루소는『에밀』에서 여성의 교육에 관해 따로 지면을 할애하는데 그 이유는 여성의 교육방식은 남성의 그것과 달라야 하기 때문이라는 것이다. "여성이 받는 모든 교육은 아이들이 어렸을 때 양육하고 커서는 그들을 보살피고 그들에게 충고와 위로를 주며, 그들에게 삶이 즐겁고 감미로운 것이 되도록 해주는 것, 바로 이런 것들이 언제나 변치 않는 여성의 의무이며 어릴 때부터 여성들에게 가르쳐야 하는 것들이다. 이러한 원칙을 거스른다면 우리들은 그 무엇을 여성들에게 가르쳐본들 그녀들의 행복이나 남성들의 행복에 아무런 소용이 없을 것이다."[402] 이처럼 여성의 지위와 역할을 가정에서 아이들과 남편을 보살피고 행복과 위로를 주는 존재로 규정하는데 대해 현대 여성들은 저항감을 느낄지 모른다. 여성들의 역할이 어찌 가정 내에 국한되느냐는 것이다. 물론 루소 시절과 오늘날은 여성들의 사회 진출이라는 면에서 큰 차이가 있다. 하지만 오늘날 여성들의 사회적 역할이 커졌다고 해서 집안에서 아내와 어머니로서의 위상과 역할이 사라졌다거나 어떤 변화가 있다고 말할 수 있는가? 오늘날에도 아이들과 남편의 행복에 여성의 행복이 좌우된다는 건 부정할 수 없는 사실이고 그건 남편의 경우도 다르지 않다.

루소는 자신이 여성의 역할과 의무를 규정한 것은 여성을 예속시키기 위해서가 아니라 여성에게 권리와 행복을 누리게 하기 위한 것이라고 강조했다. "바로 그와 같은 의무들 속에 자기들의 기쁨의 원천과 권리의 토대가 있음을 여성들에게 밝혀 보여주도록 하라. 사랑받기 위해 사랑하는 것이, 행복해지기 위해 상냥해지는 것이, 복종을 받기 위해 존경할 만한 사람이 되는 것이, 명예를 인정받기 위해 자기 명예를 지키는 것이 그토록 힘든 일일까? 이러한 권리들은 얼마나 존중할 만한가!"[403]

여성이 자기의 의무를 다하는 만큼 사랑과 존중을 받는다는 루소의 말은 당연한 것이지만 여성들은 그렇게 생각하지 않는 것 같다. 여성에게 부과되는 의무나 여성성은 그저 의무이자 구속이고 잘 포장해도 희생과 헌신일 뿐 그것이 여성의 힘과 매력의 원천이라는 생각은 하지 않는다. 그렇기 때문에 자녀를 사랑하면서 자신이 사랑스러워진다고 생각하지 않고, 사람들에게 상냥하게 대하면 자신이 행복해진다고 생각하지 않는다. 또한 정숙함과 순결은 괜히 사람들이 여성에게 씌우는 굴레이지 그것이 자신의 영향력과 권위를 높여준다고 생각하진 않는 것 같다. 하지만 여성이 가족을 배려하고 보살피며 나아가 여성성을 가꾸는 것은 타인을 위해서임과 동시에 자신의 힘과 능력을 계발하는 것임을 깨달을 때 그 일은 더 이상 성가신 부담이 아닐 것이다. 요컨대 여성은 스스로 가치와 미덕을 지킴으로써 사람들로부터 존중받고 나아가 남성들을 지배할 수 있는데, 루소가 생각하는 여성의 덕목은 상냥함, 정숙함, 부드러움, 조심성, 성실함 등이다.

이처럼 여성의 힘은 그 의무에서 나온다고 생각하는 만큼 루소는 일단 아이를 낳는 데 대해 단호하다. 사람들이 뭐라 해도 여성의 본분은 아이를 낳는 일이라는 것이다.[404] 그렇지 않으면 가족이 성립되기 어렵고 자연히 여성의 역할도 의미가 퇴색되기 때문이다. 그 외에도 여성에게는 가정에서 여러 의무가 요구된다. 임신 중에는 신중한 거동이 필요하고 해산할 무렵에는 안정이 필요하다. 또한 아이들을 젖먹이는 동안 집안에 들어앉는 생활을 하지 않으면 안 되며, 아이들을 양육하기 위해서는 인내와 부드러움과 열성, 그리고 지치지 않는 애정이 요구된다. 뿐만 아니라 아내는 아이들과 아버지를 연결하는 구실을 한다. 그녀만이 아버지로 하여금 아이들을 사랑하게 만들고 그에게 신뢰감을 불어넣을 수 있다. 한 마디로 주부는 온 집안을 하나로 결속하여 유지하는 중심이며 그러기 위해 그녀는 가족들에게 애정과 배려를 아끼지 말아야 한다. 남편은 권위와 지배의 대가로 가족에 대한 헌신을 요구받는다면 아내는 헌신의 보답으로 존중과 영향력을 얻는다. 남성은 지배가 먼저이고 여성은 의무가 우선하는 것 같지만 공히 헌신을 함으로서 보답과 존중을 누리는 것이다.

나아가 루소는 여성에게는 실제 정숙함은 물론 명예와 평판도 중요하다고 하였다. 특히 아내는 남편과 주위 사람들이 모두 그녀가 정숙하다고 판단하는 것도 중요하다는 것이다.[405] 이처럼 여성의 처신과 몸가짐에 더 세심한 주의가 요구되는 이유는 여성이 가정과 사회에서 남편이나 남성들의 판단에 상당 부분 매여 있기 때문이다. 따라서 이러한 덕목들을 무시한다면 남편의 행실은 타락하기 쉽고 여성의 영향력은 줄어들며 불행해질 것이다.[406]

루소는 여성이 자신의 의무를 두려워하기보다는, 여성의 처지에 있음을 자랑스러워하면서 의무들을 사랑하는 편이 낫다고 하였다. 사실 어떤 의무든 스스로 동기를 느껴야 잘 수행할 수 있다. 그러려면 앞에서 말한바 여성의 의무가 여성의 힘의 원천이라는 원리를 기억할 필요가 있다. 따라서 루소는 여성들에게 좋은 품행을 사랑하는 습관을 불어넣고 싶다면 그렇게 됨으로써 얻는 이득을 말해주어야 한다고 하였다.[407] 이를테면 품행이 방정한 여성은 당연히 미덕을 섬기는 남자를 만날 가능성이 큰데, 그것이 좋은 이유는 남자는 미덕을 섬기는 만큼만 자기 애인도 섬기기 때문이다.[408] 따라서 덕 있는 훌륭한 남자를 만나고자 한다면 타락한 풍습과 거리를 두어야 한다는 것을 여성들에게 깨우쳐주어야 한다는 것이다.

여성의 힘과 매력

종종 루소가 여성을 비하하거나 차별화하려 했다는 비판을 받곤 하지만 내가 보는 바로는 루소는 남녀는 그 본질이 다르므로 역할도 달라야 하며 그것이 바람직하다는 걸 강조했을 뿐이다. "남녀가 결합할 때 각각 공동의 목적을 향해 협력하지만 그 방식은 서로 다르다. 한쪽은 능동적이며 강해야 하고 다른 한쪽은 수동적이고 약해야 하는 것이다."[409] 능동적이며 강한 사람이 힘을 갖는 것과 수동적이며 약한 사람이 힘을 갖는 것 중 어느 쪽이 더 능력이 뛰어난 것일까? 강한 사람이 힘을 갖는 건 당연하지만 약한 사람이 힘을 갖는 건 대단하다. 100미터 달리기를 한다면 전자는 50미터 지점에서 출발하고 후자는 원점에서 출발하는 격이므로 후자의 능력에 더 큰 점수를 줄 수밖에 없다.

능동과 수동 그리고 강약의 차이는 힘의 많고 적음보다는 힘의 성격 차이로 보아야 한다. "남성의 가치가 그의 힘에 있다면 여성의 힘은 매력에 있다. 그 매력들로 여성은 남성이 자기 힘을 발견해서 사용하게 만들어야 한다."[410] 루소에 따르면 여성은 남성의 욕망과 자존심을 자극하여 남성의 힘을 북돋아야 한다. 여성의 매력, 즉 다소곳함과 수줍음은 강자를 굴복시키기 위해 자연이 약자에게 마련해준 무기라는 것이다. 남성이 자기 완력으로 상대를 쓰러뜨리는 사람이라면 여성은 상대의 힘을 이용해 상대를 쓰러뜨리는 사람인 것이다.

따라서 루소가 여성의 수줍음과 연약함을 강조한 것은 여성을 남성에게 예속시키기 위해서가 아니라 여성의 힘의 본질을 여성 스스로에게 확고히 인식시키고 자부심을 느끼게 하려는 것이다. 루소에 따르면 "남성은 겉보기에는 지배자이지만 사실은 약한 여성에게 의존하게 된다. 그래서 남성은 강자의 지위를 유지하는데 여성도 동의하도록 만들기 위해 여성의 마음에 들고자 노력한다"는 것이다.[411] "남성은 자신의 힘에 여성이 굴복하는 것인지 아니면 여성이 스스로 자신을 내어주는 것인지 알 수 없으며 언제나 그런 의심을 남겨두는 것이 바로 여성이 쓰는 책략이다. 이 점에서 여성들은 자신의 연약함을 부끄러워하는 게 아니라 오히려 자랑으로 내세운다." 실로 남녀관계의 미묘한 신비를 꿰뚫어보는 통찰이 아닐 수 없다.

또한 여성 특유의 재치와 아름다움에 대해, 루소는 그것이 여성이 덜 가진 힘에 대해 신이 내린 공정한 보상이라고 하였다. 이를 통해 여성은 남성과 동등한 지위를 유지하고 남성에게 순종하는 듯하면서 남성을 다스리는 것이다. "여성은 재치와 아름다움 빼고는 가진 것이 없다. 그런데 아름다움은 세월과 함께 사라지고 또 습관으로 인해 그 효과가 소멸된다. 재치만이 여성의 진정한 자산이다. 그것은 사교계에서 평가되는 어리석은 재치가 아니라 남성의 처지와 남성 고유의 장점들을 이용할 줄 아는 재주이다. 이것이 없다면 불화로 이어질 살림살이를 얼마나 알뜰하게 유지해주는지를 사람들은 잘 모른다."[412]

루소는 여성의 재치를 사교계의 재담 같은 것이 아니라 남성을 위로하고 격려하며 나아가 자극할 수 있는 재능으로 본 것이다. 실로 그에 따르면 여성은 남성의 마음속에 무슨 일이 일어나는지 알아차리고 상대의 움직임들 하나하나에 대해 그것을 가라앉히거나 부추기는데 필요한 힘을 가할 수 있게 된다. "이런 재주는 배워서 아는 것이 아니라 타고난 것이다. 재치, 통찰력, 세심한 관찰력, 이것들이 여성들의 지혜이며 그것을 활용하는 솜씨가 그녀들의 재능이다."[413] 여성에 대한 이해가 이 정도인 사람을 과연 여성 폄하론자라고 할 수 있을까?

루소는 나아가 여성의 수줍음을 비하 및 조롱하는 당시 사교계 혹은 철학자들의 풍조에 대해 일침을 가한다. "수줍음이 여성들을 거짓말쟁이로 만든다고 말하는 사람들도 있는데 아직 부끄러움을 알아서 자기 잘못에 우쭐대지 않는 여성들, 남성들에게 그 욕망을 감출 줄 알아서 남성들이 고백을 받아내기 가장 힘든 여성들이야말로 가장 진실하고 가장 성실하며 대체로 가장 믿을 수 있는 여성들인 것이다... 여성의 수줍음을 놀려댐으로써 요즘의 철학의 원칙들이 지향하는 바는 우리 시대의 여성들에게 얼마 남아 있지 않은 정조관념마저 없애버리게 하는 것임을 나는 잘 안다."[414] 여성이 남성과 다를 바 없다거나 달라서도 안 된다고 하는 주장들은 과연 여성을 깊이 이해하고 또 진정으로 위하는 것일까?

실로 루소는 여성이 남성에 대해 가질 수 있는 권위와 지배력에 대해 상당히 깊이 있게 관찰 및 탐구한 것으로 보인다. 그는 무엇보다 여성은 자기가 원하는 바를 남성의 욕망으로 만들 줄 알아야 한다고 하였다. "여성은 스스로 할 수 없으면서도 자신에게 필요한 일은 다 남성에게 시키는 재주를 가지고 있어야 한다. 따라서 여성은 자신의 말, 행동, 시선, 몸짓을 통해 내색하지 않고 자기가 원하는 바를 남성들에게 불어넣을 줄 알아야 한다."[415] 스스로 할 수 없으면서 자기에게 필요한 일을 타인에게 시키는 능력을 가지는 것, 즉 세상의 모든 아내들이 다 가진 이 능력을 남자들은 왕이나 독재자가 되지 않고선 가질 수 없다. 물론 그러기 위해 여성은 남성에게 존중과 신뢰를 확보함은 물론 남성의 정신과 느낌을 간파하는 법을 배워야 할 것이다.

여성의 지배력은 조용하고 간접적이면서도 값진 것이다. "정숙하고 현명하여 애인들이 자기를 존경하지 않고는 못 배기게 만드는 여자, 존경으로 사랑을 지탱해 나가는 여자는 손짓 하나로 남자들을 세계의 끝으로, 싸움터로, 마음 내키는 곳 어디로나 보낸다. 내가 보기에 이러한 지배력은 훌륭한 것이며 애써 얻을 만한 값어치가 있다."[416]

루소가 이토록 여성의 지배력을 강조한 배경에는 여성의 덕목 중 판단력의 가치에 대한 존중이 깔려 있다. "우리는 모두 여성들이 태어나면서부터 남성들의 가치의 심판자라는 내면적 감정을 느낀다. 누가 여성들에게 무시당하기를 바라는가? 아무도 없다. 여성들을 사랑하고 싶은 마음이 없어진 남성들마저도 그렇다."[417]

따라서 루소에 따르면 여성들의 판단이 권위를 상실한 사회는 타락한 사회다. 여성들이 지배력을 잃어 그 판단이 더 이상 남성들에게 아무런 영향도 미치지 못하게 된 시대는 저주 받은 시대로서 타락의 마지막 단계라는 것이다. 스파르타인들, 게르만인들 그리고 로마인들처럼 품행이 단정했던 민족들은 모두 여성들을 존경했다. 그는 공적 행사에서 로마 여성들의 축원이나 애도는 국가의 가장 위엄 있는 판단으로 인정받았다고 하였다.[418] 이쯤 되면 루소는 가히 여성 예찬론자라고 불러야 할 것 같다.

여성과 외모

이렇듯 여성의 지배력을 강조하는 루소이니만큼 여성의 이성적 능력이나 사고력에 대해서도 부정하지 않는다. "자연은 여성들이 자신의 얼굴만큼이나 자신의 정신을 가꾸기를 원한다. 여성들이 생각하고 판단하며 사랑하고 알기를 원하는 것이다. 이런 것들은 남성들이 가진 힘을 잘 이끌라고 자연이 그녀들에게 부여하는 무기들이다."[419]

따라서 몸치장에만 몰두하는 여성을 본분에 충실한 사람이라고 하긴 어렵다. "나는 그녀가 가장 수수하게 차려 입었을 때만 그토록 칭찬할 것이다. 그녀가 몸치장을 남들의 마음에 들기 위해 무언가의 도움을 필요로 한다는 무언의 자백이라는 걸 알고 있다면, 몸치장을 자랑스러워하지 않고 오히려 부끄러워 할 것이다."[420]

사실 여성의 몸치장은 엄밀히 말해 자기 자신이 아닌 다른 무엇, 즉 옷이나 장신구 혹은 화장을 통해 상대의 호의를 사고자 하는 것이다. 그 점에서 값비싼 장식이나 지나친 화장은 결코 여성 자신을 돋보이게 하지 않는다. 오히려 몸단장에 재주가 없다는 반증이다. "호화로운 장식을 반드시 필요로 하는 용모는 없다. 값비싼 장식은 신분의 과시이지 그 사람 자체의 자랑은 아니다. 한 번 좋은 것은 늘 좋은 것이므로 몸단장에 밝은 여자들은 좋은 것들을 잘 골라서 그걸 계속 입는다. 날마다 바꿔 입지 않으니까 그녀들은 어떤 것으로 결정해야 할지 모르는 여자들보다 옷차림에 덜 매달리게 된다."[421] 실로 올바른 몸단장은 많은 옷이나 지나친 화장을 요구하지 않는다. 루소에 의하면 후자는 권태의 산물일 따름이다.

4 • 독서와 글쓰기

지식 쌓기

루소는 어떤 방법으로 지식과 소양을 쌓아 18세기를 대표하는 작가의 한 사람으로 자리 잡게 되었을까? 정식 교육을 전혀 받지 못한 루소가 작가로서 이뤄낸 성취는 많은 사람들에게 불가사의한 것이었다. 루소와 한 때 가까이 지냈던 영국의 철학자 데이비드 흄(1711-1776)은 말했다. "그는 살아오면서 거의 책을 읽지 않았고 지금은 모든 독서를 완전히 포기했습니다. 정확히 말하면 그는 사색에 잠겼지만 거의 공부하지 않았고 정말로 지식이 많지 않았습니다. 그는 사는 동안 내내 오직 느꼈을 뿐입니다."[422] 요컨대 루소는 공부 대신 사색을 했으며 지식 대신 느낌을 추구했다는 것이다.

흄도 말했거니와 루소의 글쓰기는 정보나 지식을 바탕으로 한 것이 아니라 스스로의 사색과 느낌 그리고 기억을 바탕으로 한 것이었다. 루소 자신도 이에 동의한다. "나는 이 논고를 아주 기묘한 방식으로 작업했는데, 그것은 내 다른 저작들에서도 거의 언제나 따르는 방식이다. 나는 잠 못 이루는 밤들에 침대에 누워 눈을 감은 채 생각에 잠겼다. 말도 못할 고생을 하면서 머릿속에서 조화롭고 논리적인 복잡한 문장들을 이리저리 궁리하였다. 그리고 나서 만족할 정도에 이르면 그것들을 종이에 옮길 수 있을 때까지는 기억 속에 간직해두었다."[423]

그의 글쓰기가 독특한 만큼이나 그의 독서법과 공부법도 일반적인 방식과 달랐다. 루소는 한 번도 학교에 다니거나 정식 교육을 받은 적이 없었다. 따라서 그가 '내가 약소하나마 알고 있는 것은 나 혼자서 배운 것'이라고 말했다시피[424] 그의 작가적 소양과 재능은 모두 독학으로 쌓아올린 것이었다.

25살쯤에 처음 공부를 시작한 루소는 지식을 쌓기 위해 자기만의 방법이 필요하다고 생각했다. "나는 모든 사물의 개괄적인 이해를 획득하기를 원했다. 그런데 25살이 다 되도록 아무 것도 모르고 있다가 모든 것을 다 배우려면 허비할 시간이라곤 없었다."[425]

정규교육에서는 어떤 하나의 체계나 이론을 바탕으로 모든 것을 해석하도록 되어 있다. 그러나 루소는 저자들이 끊임없이 의견차이를 보인다는데 주목했고 그에 대해 자신이 판결을 내릴 만한 처지가 아니라는 걸 깨달았다. 따라서 그는 서로 다른 주장을 펴는 논쟁을 해결하려하는 대신 그들의 생각 중 확실한 것들을 있는 그대로 받아들이고자 했다. "우선 맞든 틀리든 상관하지 말고 다만 명확한 개념들만을 내 머리에 모아두는 것부터 시작하면서, 내

머리가 그 생각들로 충분히 채워져 그것들을 비교하고 선택할 수 있을 정도가 되기까지 기다리자."[426] 그의 최종 목표는 스스로 생각하는 것에 있었으나 사고와 지식이 결여된 그로서는 타인의 지식과 사고방식 중 정확한 것을 배우고 그 토대 위에서 비교와 선택으로 나아가는 방식을 택한 것이다.

그런데 그는 지식을 쌓아가는 단계에서도 그것을 자신에게 유익한 것으로 만들고자 했으며 그러기 위해서는 많이 읽기보다는 조금 읽고 읽은 것에 대해 많이 생각하고 이야기하는 것이 지식을 잘 소화하는 방법이라고 하였다. 그럼으로써 책에서 발견할 것을 스스로 발견하는 것, 그것이 지식을 자기 것으로 만드는 비결이다. 반대로 주어지는 그대로 받아들이기만 한다면 그것은 결코 자기 것이 될 수 없다.[427]

따라서 그는 의문을 해소하기는커녕 혼란만 안겨주는 여러 철학자들의 주장을 그대로 따르는 대신 자기 내면에 비추어 이해하고자 했다. 그는 자신이 동의하지 않을 수 없는 지식들은 자명한 것으로 받아들이는 한편 다른 모든 것들은 비판이나 거부 없이 그대로 놔두었다.[428] 그는 자기 마음으로 동의하지 않을 수 없으며 실천에 유익한 지식들만을 진리로 인정했던 것이다. 그는 연구자들이 흔히 자신들의 이성보다 다른 사람들이 쓴 책을 더 신뢰한다고 지적하면서 그들은 자기들의 내면의 힘을 깨닫지 못한다고 하였다. 결국 공부와 사색의 기준점은 자기 내면이 되어야 한다. 루

소는 바로 원리와 규칙들을 자기 내면에 비추어 느끼고 성찰함으로써 책을 넘어설 수 있었던 것이다.[429]

책의 선택

그런데 앞에서 본 것처럼 루소는 책을 많이 읽는 것에 대해 찬성하지 않았다. 오히려 소수의 책을 골라 잘 소화할 것을 권했다. "당신은 읽은 책의 토대 위에서 가끔은 원본보다 더 훌륭한 하나의 책을 만들 수 있습니다."[430]

루소에게 지식을 쌓는 목적은 남에게 보이기 위해서가 아니라 자기에게 유용한 것이 되도록 하기 위함이다. "학자들은 오직 대중에게 널리 퍼뜨리기 위해서만 서재에서 지식을 축적합니다. 남들 눈에만 현명하게 보이고 싶은 거지요. 그래서 감탄하는 사람들이 없을 때 그들은 더 이상 연구에 관심을 갖지 않습니다. (반면) 지식을 이용하고 싶어 하는 우리는 그 지식을 되팔기 위해서가 아니라 우리에게 쓸모 있게 변화시키기 위해 지식을 쌓지요."[431]

따라서 그는 책을 고를 때도 자신의 영혼을 갈고 닦는데 도움이 되는 것들로 한정한다. 『신엘로이즈』에서 가정교사 생 프뢰는 제자 쥘리에게 말한다. "이것이 당신의 모든 학업을 심미안과 품행에 관한 책들로 한정하는 이유입니다. 역시 바로 이런 이유로 내 수업방식을 모두 예를 드는 것으로 바꾸어, 덕성스러운 사람들에 대한 묘사만을 미덕의 정의로, 잘 쓰여진 책만을 글을 잘 쓰기 위한 규칙으로 제시합니다… 영혼에 아무 흥미도 주지 못하는 것은 모두 당신이 몰두할 만한 것이 아님을 날이 갈수록 더 강하게 느낍니다."[432] 요컨대 루소에게 좋은 책의 기준은 영혼을 맑고 깊게 하는 책이며 공부 방법은 모범적 사례를 따라하는 것이다.

재차 말하거니와 그는 영혼에 감동을 주어 선과 미덕으로 인도하는 책이 아니라면 가치를 두지 않았다. 쥘리는 말한다. "내 경우 독서에 대해 판단할 수 있는 길은, 그것을 통해 내 영혼이 어떤 느낌을 받는지를 살피는 수밖에 없어서, 나는 독자들을 선으로 이끌지 못하는 책이 어떤 정당함을 가질 수 있는지 거의 상상하지 못하겠어요."[433]

글쓰기

글쓰기를 함에 있어 루소의 기본 원칙은 자기 주관을 잃지 않되 독선에 빠지지 않는 것이다. "나는 전혀 다른 사람들처럼 보지 않는데… 그러나 내가 할 수 있는 일이란 생각을 바꾸는 것이 아니라 나의 생각을 경계하는 것이다. 내가 할 수 있는 일은 내 견해만을 고집하지 않는 것이다."[434] 이를 위해 루소는 자기주장에 대한 근거를 대는 일이 가장 필요하다고 하였다. "나는 내 의견을 자유롭게 진술하지만 권위를 세울 마음은 조금도 없으므로, 언제나 거기에다 내가 그렇게 생각하는 이유를 덧붙였다. 누구나 그 이유를 검토해보고 나를 판단할 수 있도록 하기 위해서다… 왜냐하면 다른 사람들의 의견과 반대되는 내 의견의 근거가 되는 준칙들이 이래도 저래도 다 좋은 것은 아니기 때문이다."[435]

나아가 루소는 비판을 위한 비판보다는 생산적이고 건설적인 논의를 선호했다. 왜냐하면 그가 글을 쓰는 이유는 공공의 이익, 말하자면 모두에게 행복한 길을 추구하는 것이었기 때문이다. "철학이 하는 일이라고는 온통 파괴뿐인 이 시대에 그(루소)는 견고하게 건설하는 유일한 저자라고 나는 생각합니다… 다른 책들에서는 책을 쓰게 한 정념과 저자의 개인적인 목적이 먼저 보였지만 J(루소)는 공정하고 단순한 마음으로 진리를 추구하는 유일한 사람인 것 같았어요. 외양과 실체를 구별하는 것, 인위적인 가공의 인간과 자연인을 구별하는 것을 가르침으로써 인간에게 진정한 행복의 길을 알려주는 유일한 사람이라고 생각되었어요."[436] 이처럼 루소는 스스로를 공익에 대한 사랑으로 고취된 사람이라고 자부했다.

반면 그는 많은 작가들이 자기 이익과 평판을 위해서라면 거짓과 왜곡을 마다하지 않는다고 비판했다. "저는 책 속에서 진실을 찾아보았지만 기만과 오류밖에 발견하지 못했습니다. 저자들에게는 자신의 이익 외에 다른 법칙이 없고 자신의 평판 외에 다른 선이 없습니다. 또한 그들은 약자에게는 의무 밖에, 강자에게는 권리 밖에 말할 줄 모른다는 것을 알게 되었습니다."[437] 많은 책들이 왜곡과 오류로 가득 찬 이유는 저자들의 사익 추구와 비굴함 때문이라는 것이다.

루소 자신은 작가들이 흔히 빠지는 명성에 대한 유혹을 결코 느껴본 적이 없다고 말한다. "그(루소)는 책을 쓸 생각을 하지 않은 채 중년이 되었습니다. 그 치명적인 명성에 대한 욕구를 단 한 순간도 느끼지 않았어요."[438] 그러다가 갑자기 그는 오랫동안 혼자 품어왔던 생각, 즉 인류에게 유익하다고 믿었던 생각을 세상 사람들에게 전달하려는 생각을 하게 되었다.[439]

그가 인간의 비참함과 불행의 근원을 폭로하는 사람이 되고자 한 것은 당연히 사람들을 행복과 진리로 인도하기 위함이었다. "저는 이런 생각을 해보았습니다. 숨김없이, 두려움 없이, 풍자나 아첨 없이 사람들에게 진실을 말해주는 사람, 사람들이 오로지 잘 속아 넘어가기 때문에 악하고 오로지 무분별하기 때문에 불행하다는 것을 알려주는 사람, 사람들이 행복하고 선량하도록 태어났다는 것과 그러기 위해 그들이 해야 할 일이 무엇인지를 가르쳐주는 사람, 오, 이런 사람은 사람들에게 얼마나 좋은 일을 할 것인가 하고 말입니다."[440] 요컨대 본래 선하게 태어난 인간이 편견과 맹신, 무분별 때문에 불행하고 타락했다는 것을 알려주고 그를 타파할 길을 제시하는 것, 그것이 루소가 꿈꾼 작가의 본분이다.

이처럼 그를 작가의 길로 이끈 것은 사람들에게 유익한 것을 전달하겠다는 선의였던 것이다. "저는 그런 사람이 되려고 노력했고 용감하게 시도했습니다. 저는 저자들의 통상적인 길을 추구하지 않았고 그들이 추구하는 영광도 보상도 갈망하지 않았습니다. 제 글에서 더 많이 보이는 것은 유용하고 진실해지려는 진지한 욕구와 무사무욕, 선의일 것입니다."[441] 결론적으로 말해 루소처럼 글쓰기를 하거나 루소와 같은 작가가 되고 싶다면 무엇보다 사람들의 고통에 공감할 줄 알고 그것을 타파하겠다는 의지가 있어야 한다.

진정성

그런데 자신이 쓴 글이 읽는 사람에게 감동을 주고자 할 때 필요한 한 가지가 더 있는데 그것은 진정성이다. 루소의 경우 동기가 순수한 만큼 자기를 포장하거나 숨길 필요가 없었고 오히려 자신을 진실하게 묘사함으로써 독자들의 영혼에 호소력을 발휘했다. "그가 느끼고 보는 방식은 다른 작가들과 그를 쉽사리 구별해줍니다... 그의 이론 체계가 틀린 것일 수도 있지만 그는 그 체계를 발전시켜나가면서 자기 자신을 진실하게 묘사했어요... J의 글은 내 영혼을 파고드는 영혼의 움직임으로 가득 차 있었어요."[442]

진정성이란 자기 내면을 솔직하게 표현하는 것이다. "나는 내 마음속에서 일어나는 일을 정확히 그대로 말하고 있다"[443] 루소는 늘 진정성을 지키고자 노력했다. 실로 진정성과 솔직함은 루소 스스로도 명예롭게 생각하는 자신의 글쓰기의 특징이었다. "저의 적들은, 모든 것에 진실하고 이 시대를 포함한 많은 세기의 저자들 중 유일하게 솔직하게 글을 쓰고, 또 자기가 생각한 것만을 말한 저자로서의 명예를, 아무리 빼앗으려 해도 빼앗지 못할 것입니다."[444]

그 점에서 그의 회고록인 『고백록』은 가장 진정성 있는 작품이다. "나는 회고록을 그 솔직함에서 전례를 찾아볼 수 없는 작품으로 만들 결심을 하였다. 그래서 적어도 한 번 쯤은 인간을 내면에 있는 그대로 볼 수 있게 하려고 했다."[445] 독자 입장에서 볼 때 『고백록』에서 인상적인 것은 그 책에 자신의 큰 과오뿐 아니라 작고 하찮은 잘못까지도 가감 없이 묘사했다는 점이다. 왜냐하면 작가들은 보통 전자보다 오히려 후자를 더 숨기고자 하기 때문이다. 그들은 나쁜 인간보다는 못난 인간으로 비춰지는 걸 더 견디기 어려워한다. 물론 거기에도 에고가 작용하는데, 더 큰 인물로 비치기를 열망하는 에고의 갈망은 설사 부정적인 것이라 해도 작은 일로는 채울 수 없기 때문이다.

9장 종교

신앙의 본질

'사람은 자신이 사랑하는 것이 된다'는 말이 있듯이 신을 사랑하면 마음을 고양시키고 타락의 가능성을 줄일 수 있다. 이것이 신앙의 의미이다. 실로 신앙은 덕행의 원천이다. 종교적인 동기가 사람들을 악행에서 멀어지게 하고 나아가 미덕과 선행으로 인도한다는 건 의심할 수 없다. 루소가 신앙의 가치에 대해 절대적 신뢰를 나타낸 것도 그 때문이다.

반면에 루소는 교리는 별 의미가 없으며 오히려 신에 대한 진정한 믿음과 미덕을 방해하는 것으로 보았다. "고백컨대 제게는 신앙에 관한 문구나 표현이 다 일련의 불공정, 허위, 위선, 횡포를 지닌 것으로 보일 뿐입니다. 하지만 신을 빼앗지는 맙시다. 사람들의 마음에서 신에 대한 믿음을 모두 빼앗는 것은, 그들에게서 미덕을 모두 파괴하는 일입니다."[446] 교리가 문제가 있음은 분명하지만 그를 빌미로 신과 신앙을 공격하는 건 곧 선과 미덕을 부정하는 일이다.

루소에게 신이란 무엇보다 덕을 보상하고 불행을 위로해주는 존재이다. "신의 존재에 대한 생각만이 여전히 인간에게는 미덕에 대한 격려이자 비참에 처했을 때의 위안일 것입니다... 신 같은 증인을 갖는다는 건 역경 속에서 언제나 즐거움인 것입니다."[447] 현세의 삶에서 고통을 겪는 선량한 사람들은 내세에서 보상을 받고 싶어 한다.

그 점에서 무신론은 보상도 위로도 필요 없는 부자와 강자들의 철학이다. "이 세상에서 행복하지 못한 수많은 사람들은 희망과 위안을 찾을 필요가 있는데 이미 천국의 삶을 누리고 있는 부자들에게 편리한 그 철학은 그들에게서 그것을 앗아가고 있거든요."[448]

신자와 선행

루소는 신은 인간의 선행을 지켜볼 따름이므로 신자는 당연히 교리보다 덕행을 중시해야 한다고 하였다. 그는 파리 대주교에게 보낸 편지에서 "저는 당신의 허수아비 기독교도들과는 아주 다릅니다. 그들은 이런저런 문제를 고해해야 하고 또 그렇게만 하면 천국에 가기에 충분하다고 확신하는 사람들처럼 삽니다. 그러나 저는 반대로 종교의 본질은... 관대하고 인도적이고 자비롭고 덕 있는 사람이 되어야 하며 진실로 그러한 사람은 구원받기에 충분하다고 생각합니다"라고 하였다.[449] 루소는 신의 심판이란 신자가 무엇을 믿었는가 보다는 무엇을 행했는가에 대해 이뤄진다고 보았다. 요컨대 그에게 종교의 본질은 믿음보다는 실천, 교리보다는 선행인 것이다.

루소는 사랑과 미덕, 즉 이웃을 자신처럼 사랑하고 돌보는 것이야말로 기독교뿐 아니라 모든 종교와 율법의 골자임을 거듭 강조한다.[450] 그 점에서 비록 기독교 교리를 따르지 않더라도 미덕을 행하는 사람은 진짜 신앙인인 셈이다. 『신엘로이즈』에서 쥘리는 불신자인 남편 볼마르가 그런 사람이라고 보았다. "볼마르는 보상을 바라지 않으며 선행을 하는 것이지요. 우리보다 더 덕망이 있고 더 사심이 없는 셈이에요. 그런데 무엇 때문에 벌을 받겠어요? 천만에요! 선량함, 공정함, 좋은 품행, 정직, 미덕, 이런 것이 하늘에서 요구하시는 것이고 하늘은 이런 것에 대해 보답하십니다."[451] 쥘리는 인간이 행한 일에 따라 신이 믿음을 판단한다면 선행을 하는 사람은 신을 믿는 것이라고 하였다. 다시 말해 신이 인간에게 바라는 것이 선함과 미덕의 실천이라면 볼마르 같은 의인은 진짜 기독교도이고 악인은 진짜 불신자인 것이다.

신앙과 인간성

사실 루소에 따르면 신앙이란 인간성을 넘어선 어떤 것이 아니다. '신은 우리가 그분이 만드신 대로 있기를 원하시기 때문'에 인간은 타고난 본성에 따라 사는 것, 즉 가장 인간적으로 되는 것이 곧 신의 뜻을 존중하고 섬기는 것이다.[452] 실로 종교에서는 창조주가 인간을 신과 가장 가까운 모습으로 창조했다고 말해왔다. 그렇다면 신이 부여한 인간 본연의 특질, 즉 인간의 본성은 신을 닮아 완벽에 가깝다는 말인데, 이러한 인간성과 단절하여 신성을 추구한다면 그것이 어떤 의미가 있을지 모르겠다.

실로 신앙은 인간의 영혼을 정화시켜 왜곡된 인간성을 제자리로 돌려놓는 것이기도 하다. "무한한 본질에 연결된 절대자의 개념은 속임수와 오류로 얼룩진 이성의 변질된 부분을 회복하도록 해주시지요... 이 신성한 모델을 관조함으로서 영혼은 정화되고 고양되며, 자기 안에 천박한 성향을 경멸하고 비열한 기질을 극복할 수 있는 법을 배운답니다."[453] 인간은 신을 모델 삼아 그 고결함을 인식하고 깨달음으로써 훼손되고 타락한 영혼을 씻어내고 드높일 수 있는 것이다.

관용

결국 인간은 선행을 하고 신을 적절하게 섬긴다면 그가 삶에서 믿는 종교가 어떤 것이든 그 안에서 구원을 받을 수 있다. 따라서 타인의 종교를 멸시해서는 안 된다.[454] 루소가 볼 때 기성 종교의 특징인 불관용은 무신앙보다 더 나쁜 것이다. "저는 지배적이었던 종교들 중에 좋은 종교, 인류에게 잔혹한 고통을 주지 않은 종교는 하나도 없다고 말합니다... 모든 종파가 형제 종파들에게 고통을 주었고 모든 종파가 사람의 피를 신께 제물로 바쳤습니다... 저는 신앙이 없는 사람들보다 관용을 모르는 사람들을 훨씬 더 싫어합니다."[455] 소위 독실한 신자일수록 타인이나 타 종파를 비방하고 박해하는것에 앞장서는데 그건 그의 신앙이 편협하고 잔인하다는 걸 입증할 따름이다. 그 자신과 그가 박해하는 상대 중 과연 누가 더 신을 모독하는가?

구원을 빙자한 폭력은 사랑이 아니라 그저 교만과 불합리일 따름이다. "이웃에 대한 사랑은 이웃을 살육하게 하지 않고 인간을 구원하려는 열의는 박해로 이어지지 않습니다. 이기심과 교만이 바로 그 원인입니다."[456] 종교를 폭력으로 수립하려 한다는 건 그 종교가 합리적이지 못하다는 걸 자인하는 것이다. 살인과 박해로 이어지는 소위 사랑과 열정을 어찌 신앙이라 부를 수 있겠는가.

사실 인간을 사랑하지 않고 신을 사랑한다는 건 난센스이다. 왜냐하면 인간에 대한 사랑이 넘칠 때 그것이 비로소 신에게로 향하기 때문이다. 생 프뢰는 말한다. "쥘리는 가슴에 사무치는 사랑의 욕구를 충족시키기엔 지상의 것들만으로는 부족해서, 그 감수성은 그 근원, 즉 신에 대한 사랑까지 거슬러 올라가지 않을 수 없는 것 같아요. 그렇다고 그녀는 신에 대한 사랑 때문에 다른 인간들에게서 분리되지 않고 냉혹해지지도 신랄해지지도 않습니다. 만일 그녀가 아버지, 남편, 아이들, 사촌 그리고 나를 그다지 사랑하지 않는다면 나는 그녀가 그리 독실한 건 아니라고 생각했을 겁니다."[457] 이웃을 사랑하지 않거나 타인에게 냉정한 사람이 신을 사랑한다면 그를 어떻게 보아야 할까? 그냥 흔한 비유로 모래 위에 성을 쌓고 있다고 해야 하지 않을까.

루소는 기독교의 교리가 자비롭고 선한 신의 품성을 따라야 한다고 강조했다. "만약 그 교리가 인간들에 대해 혐오감과 우리 자신에게 공포심만을 불어넣는다면, 또 그 교리가 우리에게 화를 잘 내고 질투심과 복수심이 강하고 불공평하고 인간을 미워하는 신, 항상 벼락을 내려 파괴할 준비가 되어 있고 언제나 고통과 징벌에 대해 말하는 신만을 묘사한다면, 나의 마음은 그 무서운 신에게 조금도 끌리지 않을 것이며 그러한 종교를 받아들이지 않을 것이다."[458] 루소는 구약에 묘사된 분노, 질투, 원한, 미움의 신 야훼에 대해 부정적이었던 것이다.

그는 나아가 유대교의 선민사상과 기독교의 예정설도 비판했다. 처음부터 자신을 위해 단 하나의 민족만을 선택하고 나머지 인류는 배제하는 그런 신은 인류의 공통된 아버지가 아니라는 것이다. 또한 자기가 만든 피조물 중 최대 다수가 영원한 형벌을 받도록 정해놓은 신은 자비롭고 선한 신이 아닌 것이다.[459] 신의 본성이 자비와 선이라면 한 민족만을 선택하고 소수의 인간에게만 구원을 예정해놓은 신은 숭배의 대상이 될 수 없는 것이다.

기독교 신자

진정한 기독교 신자는 예수의 가르침의 본질인 사랑과 선행을 믿고 실천하는 사람이다. 루소는 말한다. "대주교 예하, 저는 기독교도입니다. 저는 사제들을 신봉하는 자로서의 기독교도가 아니라, 예수 그리스도를 신봉하는 자로서의 기독교도입니다. 저의 주님은 교리를 이해하기 어렵게 만들지 않으셨고 의무를 많이 강조하셨습니다. 그분은 신앙 조항보다는 선행을 권장하셨고 형제를 사랑하는 사람은 율법을 이행한 것이라고 말씀하셨습니다. 그래서 저는 성 바울처럼 신앙 자체를 사랑과 미덕 아래 두는 것입니다."[460] 루소는 사제를 따르는 것과 예수를 신봉하는 것을 구별한다. 사제는 교리와 율법을 내세우지만 예수는 선행과 사랑을 강조하기 때문이다.

그럼에도 신자들은 미덕을 실천하기보다 교리에 치중하는데, 루소가 볼 때 그 이유는 교리를 따르기는 쉽지만 미덕을 실천하는 건 어렵기 때문이다. 사람들은 쉬운 쪽으로 뛰어들어 큰 신앙심이라는 장점으로 선행을 벌충한다는 것이다. 그는 많은 기독교도들에게서 볼 수 있는 도덕과 행동 사이의 모순은 그것으로 설명된다고 하였다.[461]

실로 선행보다 교리를 우선하는 종교는 인간과 사회에도 이롭지 않다. "사람들은 인간의 의무는 보지 않고 교리에 충실한지만을 묻습니다. 사람들의 품행은 상관이 없고 교리만 안전하면 됩니다. 종교가 그러할 때 사회에 무슨 유익한 일을 하며 인간에게 무슨 이점을 주겠습니까?"[462]

교리가 신자들의 행동을 바꾸지 못하는 데에는 그만한 이유가 있다. 사람들은 신앙고백을 하고 교리를 따르고 예배에 참석하지만 그 모든 것이 그들의 마음과 이성에 전혀 스며들지 않아 그들의 행위에 영향을 미치지 못하는 것이다.[463] 사람들의 행위를 바꾸려면 우선 감동을 주어 마음속에 스며들어야 하는데 교리는 전혀 그렇지 못한 것이다.

그 점에서 불신자를 개종시킬 때 교리로 설득하는 대신 행동으로 감화시키는 것이 최선이다. 쥘리가 남편 볼마르에게 시도한 것이 바로 그것이었다. "말로 그에게 신을 전하려 하는 대신, 신이 고취해주는 행동 속에서, 신이 주재하시는 미덕 속에서, 그에게 신을 보여주는 거예요! 하늘의 빛나는 이미지를 그가 자신의 집에서 보게 되는 거예요. '아니다. 인간은 자신의 힘만으로는 이렇게 될 수 없다. 뭔가 인간 이상의 것이 여기를 지배하고 있는 것이다'라고 하루에도 백번쯤 그가 중얼거리게 되는 거예요!"[464] 쥘리의 일상적인 그러나 고결한 행동 속에 신이 깃들어 있음을 볼마르가 보고 느끼게 하는 것이다. 그것이 백 마디 말보다 낫다.

그러나 또한 쥘리의 말을 들어보면 타인을 전도하는 것이 과연 신이 원하는 것인지 의문이다. "우리는 오히려 신 대신에 사람들을 일깨운답시고 우쭐대지 말기로 해요. 그분께서 하고 싶지 않은 일을 누가 감히 하겠다고 나선단 말인가요? 그분의 뜻을 묵묵히 존중하고 우리의 의무를 행하기로 해요."[465] 신이 진정 세상을 주관한다면 세상에 불신자가 있는 것도 신의 의도에 포함된 것이다. 그렇다면 인간이 나서서 불신자를 개종시키려 하는 것은 과연 신을 위하는 것일까? 오히려 묵묵히 각자의 의무를 수행하는 것이

신의 뜻을 존중하는 건 아닐까?

그 점에서 소위 독실한 신자들의 인간에 대한 오만과 무관심은 비판받아 마땅하다. 그들은 신에 대한 사랑을 어느 누구도 사랑하지 않기 위한 구실로 삼고, 심지어는 서로 사랑하지도 않는다.[466] 우월의식에 빠진 신자들은 마치 지상에서 신의 권위를 대신 행사하기 위해서 신을 믿는 것 같다.

루소는 이들이 믿는 신은 악한 신일 가능성이 크다고 하였는데 왜냐하면 일반적으로 신자들은 자신들을 닮은 신을 만들어 내기 때문이라는 것이다. "선량한 사람들은 선량한 신을 만들고 악한 사람들은 악한 신을 만드는 것이다. 증오와 분노를 품은 신자들은 지옥만을 보는데 그들은 사람들을 지옥에 떨어뜨리고 싶어하는 것이다. 그러나 다정하고 온유한 사람들은 지옥을 거의 믿지 않는다."[467] 루소는 사실 신의 선하고 자비로운 속성에 지옥의 이미지는 어울리지 않는다고 생각했다.

기독교 사제

루소는 사람들이 더 이상 종교를 갖지 않는다면 그것은 성직자들의 잘못 때문이라고 하였다. 그는 무엇보다 성직자가 미덕보다 교리나 신앙조항을 우선시하는 것을 비판했다. 그는 성직자의 본분은 미덕을 설파하고 솔선수범하는 것이라고 하였다.[468] 『에밀』

에서 사부아 보좌신부는 말한다. "나는 항상 사람들에게 미덕을 설교할 것이며, 항상 그들이 올바르게 행동하도록 권고할 것이고, 내가 할 수 있는 한 그들에게 모범이 될 것이다. 그러나 신이시여, 제발 내가 그들에게 불관용의 잔인한 교리를 설교하게 하지는 마옵소서."[469]

특히 성직자는 교회보다 성경을 우선시해야 하며 자비의 행동에 역점을 두어 다른 종파나 무신자들을 차별하지 않아야 한다. 보좌신부는 이어 말한다. "나는 강론에서 교회의 정신보다는 복음서의 정신에 충실할 것이다. 성경에는 종교적 의례에 대해서는 거의 언급이 없고 자비로운 행동에 대해 많이 말한다. 만약 내 이웃이나 내 교구에 신교도가 있다 하더라도 나는 그들을 내 진짜 교구민들과 조금도 차별하지 않을 것이다."[470]

종교와 루소

당대의 교회와 성직자들을 비판한 루소이니만큼 그들로부터의 탄압은 예상 가능한 일이었다. 실제로 1762년 4월 말과 5월 말에 『사회계약론』과 『에밀』은 왕정 당국과 귀족의 고등법원 그리고 예수회의 분노를 샀다. 무엇보다 『에밀』의 '사부아 보좌신부의 신앙고백'이 문제가 되어 고등법원은 『에밀』에 분서 처분을, 루소에게는 체포령을 내렸는데 거기에 등장하는 개인의 양심과 이성에 기

초를 둔 신이 특히 문제였다.[471]

늘 자기 내면의 느낌을 판단의 기준으로 삼는 루소는 마음에 와 닿지 않는 형식적인 종교는 신뢰하기 어려웠다. 다음은 쥘리가 한 말이지만 루소의 생각이기도 하다. "나는 마음을 감동시키지 않는 피상적인 종교를 갖거나 틀에 박힌 말에 만족하기보다는, 신앙을 아예 갖지 않는 편이 어쩌면 더 나을지 몰라요. 예배에 고박꼬박 참석했어도 그로부터 내 삶의 실천에 유용한 것을 끌어내지 못했어요. 내가 천성적으로 선하다고 믿었기에 내 성향에 몰두했지요."[472]

루소는 자신이 교리와 예배 등 형식을 따른다는 의미보다는 신성을 존중하고 마음으로 예수를 따른다는 의미에서 진정한 기독교 신자라고 하였으나 사람들은 그를 인정하지 않았다. 사람들은 그의 신앙을 기독교와는 다른 무엇, 이를테면 자연종교 혹은 무신론이라고 본 것이다.

자연종교

루소의 종교관이 집약되어 있는 『에밀』의 '사부아 보좌신부의 신앙고백'의 첫 부분은 그가 신의 존재를 확립하고 자연종교의 가능성을 가늠하기 위해 마련한 것이다. 자연종교는 신의 자비와 은총을 인정하지만 그것을 성경과 교회의 권위에서가 아니라 눈에 보이는 자연계 혹은 우주로부터 끌어낼 수 있다는 믿음이다.

우선 루소는 우주를 구성하는 만물이 서로 침범하지 않고 조화를 이루는 것에서 자연의 질서가 존재함을 깨달았고 어떤 의지가 자연에 생명과 질서를 부여한다고 믿었다. "나는 세계의 질서, 즉 우주를 구성하고 있는 존재들이 서로 돕고 있는 내밀한 조화를 지각하지 않을 수 없다... 각양각색의 종들이 서로 섞이지 않기 위해 자연이 그것들 사이에 쳐놓은 넘을 수 없는 장벽이야말로 결정적으로 명백하게 자연의 의도를 보여주고 있다."[473]

어떤 지성이나 의지가 존재하지 않는다면 이러한 생명의 질서는 성립할 수 없다. "나로서는 거기에 질서를 부여하는 어떤 지성을 생각하지 않고, 그토록 변함없는 질서 체계를 이해한다는 것이 불가능하다."[474] 그는 어떤 의지가 우주를 움직이고 자연에 생명력을 불어넣는다고 믿었으며 그것을 자신의 제 1의 신조로 삼았다.[475]

따라서 루소에게 자연의 생명과 질서에 대한 찬미는 곧 그것을 부여한 창조주, 즉 신을 예찬하는 것과 다를 바 없다. "나는 아름다운 호수를 보면 달콤한 몽상 속에 잠긴다. 신이 만든 피조물을 묵상함으로써 일깨워지는 이러한 소리 없는 찬탄보다 더 훌륭한 신에 대한 찬미는 없다고 생각한다."[476] 루소에게 신이란 우주를 움직이고 만물에 질서를 부여하는 존재인 것이다. 따라서 그는 자연계 전체에서 그것을 만든 신을 지각한다.

나아가 루소는 신이 인간에게 최고의 지위를 부여한 것에 감사한다. "신이 다스리는 사물의 질서 속에서 나는 최고의 지위에 놓여 있다고 생각한다. 왜냐하면 나를 둘러싼 물체들은 오직 물리적 운동만으로 나에게 작용을 가하지만 나는 내 의지와 그것을 실현하기 위한 도구들을 갖고 물체들에게 작용을 가할 수 있다는 점에서 어떤 것보다 더 많은 힘을 가지고 있는 셈이기 때문이다."[477]

루소가 볼 때 자연종교는 신에게 죄를 짓는 것이 아니다. "자연종교 외에 다른 종교가 필요하다는 것은 매우 이상한 일이다. 신이 나의 정신에 부여하는 지성의 빛과 내 마음에 불어넣는 감정에 따라 신을 섬기면서 내가 무슨 죄를 지을 수 있단 말인가? 신의 영광과 사회의 행복과 나 자신의 이익을 위해 자연법의 의무에 무엇을 첨가할 수 있는지 나에게 제시하라."[478] 자연을 보면서 창조주 신의 권능을 찬미하고 신이 부여한 양심과 이성을 가지고 그가 부과한 자연의 법이 요구하는 의무를 지키는 것, 그것이 과연 신에게 죄를 짓는 일일까? 아니면 그것으로 부족하다는 것인가? 요컨대 루소의 자연종교는 신의 존재도 신의 권능도 부정하지 않는다. 기성종교와의 차이점이라면 단지 거기에 교회나 교리가 들어설 자리가 없다는 것이다. 루소는 결코 기독교를 부정하고 자연종교를 제창한 일이 없거니와 자신이 자연종교를 신봉한다고 적극 주장하지도 않았다. 다만 그는 자연종교를 통해 신앙의 본질이 무엇인가를 깨우치고자 했을 따름이다. 자연종교는 신의 존재를 인정하고 신의 권능을 찬미하며 신이 만든 자연의 법을 지키도록 요구한다는 점에서 신앙의 본질을 깨우쳐주고 있는 것이다.

종교교육

끝으로 아이의 종교교육과 관련하여 루소는 아이에게 일찍부터 종교의 교리를 주입하는 것에 반대한다. 왜냐하면 '가장 기독교적인 교육일지라도 아이에게 그가 갖고 있지 않은 이해력을 줄 수 없고 아이의 관념을 물질적 존재에서 분리시킬 수 없기 때문'이라는 것이다. 한마디로 감각할 수 있는 대상만을 이해하는 아이에게 신이라는 관념적 존재를 이해시킬 수 없기 때문이다. 따라서 아이에게 '신은 절대로 감각으로 포착할 수 있는 것이 아니다'라고 말하면 아이의 혼란스러운 정신은 아무 것도 이해하지 못하거나 신이 아무 것도 아니라고 이해한다는 것이다.[479] 루소는 아이가 스스로 판단하여 진리로 느끼지 않는 한 아무 것도 가르치거나 주입해서는 안 된다는 입장이므로 종교교육도 사춘기까지 늦출 것을 주장했다.

루소가 볼 때 아이에게는 이해할 수 없는 종교 얘기보다는 영혼에 대한 배움이 우선해야 한다. 아이가 영혼을 이해하는 것보다 신비를 먼저 배운다면 그는 이후에도 영혼을 알지 못할 위험이 있다.[480] 루소는 믿기 어려운 신비를 어린아이에게 가르친다는 건 일찍부터 거짓말하는 법을 가르치는 것과 다를 바 없다고 하였다. 거듭 말하거니와 진정으로 믿으려면 믿을 능력이 있어야 하기 때문이다. "진리를 이해할 수 있는 상태에 있지 않은 사람들에게 진리를 알리는 일은 삼가자. 왜냐하면 그것은 진리 대신 오류를 심어주는 것이 되기 때문이다. 신에게 어울리지 않는 저열하고 환상적이며 부당한 관념을 지니기보다는 어떠한 관념도 갖지 않는 편이 더 낫다."[481]

• 맺음말

우리는 삶에서 많은 일을 겪지만 만족하는 경우는 드물고 늘 불만이다. 또한 오래 살지만 아무 이룬 것 없이 삶이 덧없다고 느낀다. 하지만 그럴수록 더더욱 우리는 삶에 집착하고 행복, 나아가 좋은 삶을 갈망한다. 루소도 마찬가지였다. 그렇다면 그는 현실에서 좋은 삶 혹은 진정한 행복의 실현 가능성을 믿었을까?

이에 대해 긍정으로 답하기는 어렵다. 루소는 가끔 맛보는 행복이 삶의 고통과 불행을 사라지게 해준다고 생각하지 않았다. 그의 작품의 주인공들도 마찬가지다. 쥘리와 에밀은 공히 행복한 삶의 결말을 보여주지 못했다. 미덕과 사랑의 화신이었던『신엘로이즈』의 쥘리는 갑작스런 죽음을 맞이했고 눈을 감으면서 이승에서 이루지 못한 옛 애인 생 프뢰와의 사랑에 대한 회한을 드러냈다.

쥘리의 운명이 조금 뜻밖이라면 에밀의 경우는 가히 충격적이다. 〈부록〉에 소개한 바대로 결혼 후 에밀의 삶은 순탄치 않았다. 딸이 어린 나이에 사망한 데다 아내 소피는 외도하여 타인의 아이를 임신하고 에밀은 집을 떠나 유랑하다 노예로 팔려가게 된 것이다.

실로 삶의 여정은 예측할 수 없는 암초로 가득하며 그걸 모두 피해갈 수 있는 사람은 드물다. 쥘리처럼 사랑과 미덕이 넘치는 여인도, 에밀처럼 완벽한 교육을 받고 이상적인 배우자와 결합한 경우도 예외는 아니었다. 그렇다면 결국 인간의 삶에는 절망 밖에 남지 않은 것인가? 결말이나 운명을 가지고 삶을 평가한다면 그렇게 말할 소지가 있다.

하지만 그 질문은 어리석은 질문일 수 있다. 삶의 본질은 흘러가는 과정에 있지 종착점에 있지 않기 때문이다. 종착점이란 알다시피 죽음이 아니던가? 그 점에서 종종 인간의 삶은 흐르는 강물에 비유되기도 한다.

강물의 본질은 그저 현재 흘러간다는 것, 즉 순간순간 다른 곳으로 이동한다는 데 있다. 인간 삶의 흐름도 매 순간 우리를 다른 상황에 처하게 한다. 어제와 오늘이 다르고 내일이 오늘과 같다는 보장이 없는 만큼 삶의 의미는 그저 매일 새로 존재한다는 데서 찾아야 한다.

그래서 에밀은 기구한 운명에도 절망하거나 좌절하지 않았다. 그는 자신이 현재 살아 있으며 현재의 순간에 최선을 다하는 한, 자신의 삶은 그렇게 두렵거나 나쁜 상황은 아니라고 확신하고 또 다짐했다. 이미 지나간 어제와 아직 오지 않은 내일을 가지고 오늘을 짓눌러서는 안 된다는 것이다.

결국 좋은 삶이란 삶의 전부인 오늘을 사는 태도와 의식에 있다. 루소는 자신의 삶과 작품을 통해 인간은, 어떤 조건, 어떤 운명에 처하든, 의식과 태도에 따라 좋은 삶을 살 수 있다는 걸 보여주었다. 그 점에서 좋은 삶에 대한 루소의 메시지는 현실적이다. 나의 의식과 태도를 바꾸는 것은 타인의 도움 없이도 가능하고 타인이 방해할 수도 없으며 내가 마음만 먹으면 언제 어디서든 할 수 있는 것이다.

실제로 사회로부터 생기는 에고를 극복하고 자기 존재의 본질을 회복함에 있어, 루소가 역점을 둔 처방 역시 나의 현재를 내 존재 전체로 임하는 것이다. 말하자면 깨어 있는 의식으로 현재에 머물면서 현재에 전념하는 것이다. 의식이 현재에 머물면 마음이나 정념들, 즉 고통이 들어설 자리는 없게 된다.

그런데 이는 특별한 일이나 상황에만 해당하는 건 아니다. 청소, 산책, 설거지, 아이 돌보기 등 일상의 평범한 일을 하면서도 내 의식의 전부를 그 일에 집중하는 것이다. 내 존재와 행위를 늘 의식할 때 나는 에고를 밀어내고 존재의 본질을 깨달으며 지복을 맛보게 된다. 따라서 붓다는 '늘 깨어있으라'고 말했다.

하지만 무엇보다 삶을 사는 의식과 태도가 중요한 가장 큰 이유는 내가 삶에서 추구하는 모든 가치, 즉 자유와 행복 그리고 사랑까지도 전부 나의 내면에서 비롯되기 때문이다. 루소가 강조한 것처럼 자유는 에고의 지배에서 벗어나 내 존재를 세울 때 누릴 수 있고 또한 존재감이 넘칠 때 사랑 나아가 행복도 기대할 수 있다. 이처럼 모든 것이 내면의 존재에서 비롯될진대, 깨어 있는 의식으로 내 존재와 삶을 돌보는 것, 그것이야말로 좋은 삶의 관건인 것이다.

그 실천의 하나로 에고로부터 멀어지는 길은 앞으로 내가 가야 할 삶의 길인 것 같다. 비록 목적지가 없고 매일 새로 시작하는 하루짜리 여정의 연속이지만 그 때문에 오히려 발걸음이 가볍다. 무겁지 않다.

• 참고문헌

1. 루소의 작품들

Jean-Jacques Rousseau, Oeuvres complètes, t. 4 (Paris, Editions Gallimard, 1959-1969) (OC로 표기함)

장 자크 루소, 『사회계약론』, (이재형 역) (문예출판사, 2013) (『계약론』으로 표기함)

______, 『고백록』(I, II), (이용철 역) (한길사, 2012) (『고백』으로 표기함)

______, 『도덕에 관한 편지』, (김중현 역) (책세상, 2014) (『도덕편지』로 표기함)

______, 『고독한 산책자의 몽상』, (진인혜 역) (책세상, 2013) (『몽상』으로 표기함)

______, 『보몽에게 보내는 편지』, (김중현 역) (책세상, 2014) (『보몽』으로 표기함)

______, 『인간불평등 기원론』, 주경복 (고봉만 역) (책세상, 2003) (『불평등론』으로 표기함)

______, 『신엘로이즈』(I, II), (서익원 역) (한길사, 2008) (『신엘』로 표기함)

______, 『루소, 장자크를 심판하다-대화』, (진인혜 역) (책세상, 2012) (『심판』으로 표기함)

______, 『에밀 또는 교육론』(I, II), (이용철 외 역) (한길사, 2007) (『에밀』로 표기함)

______, 『프랑키에르에게 보내는 편지』, (김중현 역) (책세상, 2014) (『프랑키에르』로 표기함)

2. 루소를 연구한 문헌들

김경근, “루소와 개인의 자유”, 『건지인문학』 27집 (2020, 02) pp. 53-81. (‘김경근, 자유’로 표기함)

______, “루소의 행복론”, 『역사학연구』 89집 (2023, 02) pp. 283-323. (‘김경근, 행복론’으로 표기함)

리오 담로시, 『루소 – 인간 불평등의 발견자』, 이용철 역 (교양인, 2005) (‘리오’로 표기함)

Laurence D. Cooper, Rousseau, Nature, and the Problem of the Good Life (Pennsylvania, Pennsylvania State University Press, 1999) (‘Cooper’로 표기함)

Rald Höffding, Jean-Jacques Rousseau and His Philosophy (New Haven: Yale University Press, 1930) (‘Höffding’으로 표기함)

3. 심리학, 명상, 기타

에리히 프롬, 『자유로부터의 도피』, (김석희 역) (휴머니스트, 2012) (‘프롬, 자유’로 표기함)

______, 『자기를 위한 인간』, (강주헌 역) (나무생각, 2018) (‘프롬, 인간’으로 표기함)

오쇼 라즈니쉬, 『감정을 초월하라』, (이희문 역) (젠토피아, 2019) (‘오쇼, 감정’으로 표기함)

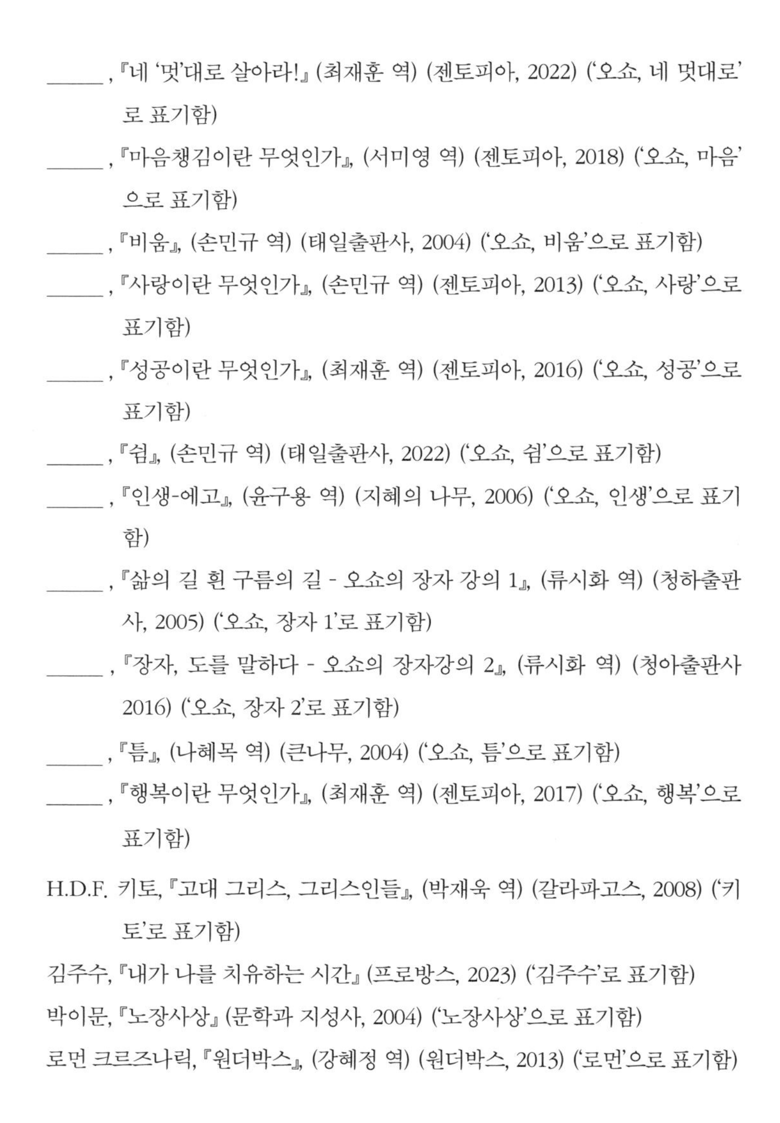

______, 『네 '멋'대로 살아라!』 (최재훈 역) (젠토피아, 2022) ('오쇼, 네 멋대로'로 표기함)

______, 『마음챙김이란 무엇인가』, (서미영 역) (젠토피아, 2018) ('오쇼, 마음'으로 표기함)

______, 『비움』, (손민규 역) (태일출판사, 2004) ('오쇼, 비움'으로 표기함)

______, 『사랑이란 무엇인가』, (손민규 역) (젠토피아, 2013) ('오쇼, 사랑'으로 표기함)

______, 『성공이란 무엇인가』, (최재훈 역) (젠토피아, 2016) ('오쇼, 성공'으로 표기함)

______, 『쉼』, (손민규 역) (태일출판사, 2022) ('오쇼, 쉼'으로 표기함)

______, 『인생-에고』, (윤구용 역) (지혜의 나무, 2006) ('오쇼, 인생'으로 표기함)

______, 『삶의 길 흰 구름의 길 - 오쇼의 장자 강의 1』, (류시화 역) (청하출판사, 2005) ('오쇼, 장자 1'로 표기함)

______, 『장자, 도를 말하다 - 오쇼의 장자강의 2』, (류시화 역) (청아출판사 2016) ('오쇼, 장자 2'로 표기함)

______, 『틈』, (나혜목 역) (큰나무, 2004) ('오쇼, 틈'으로 표기함)

______, 『행복이란 무엇인가』, (최재훈 역) (젠토피아, 2017) ('오쇼, 행복'으로 표기함)

H.D.F. 키토, 『고대 그리스, 그리스인들』, (박재욱 역) (갈라파고스, 2008) ('키토'로 표기함)

김주수, 『내가 나를 치유하는 시간』 (프로방스, 2023) ('김주수'로 표기함)

박이문, 『노장사상』 (문학과 지성사, 2004) ('노장사상'으로 표기함)

로먼 크르즈나릭, 『원더박스』, (강혜정 역) (원더박스, 2013) ('로먼'으로 표기함)

• 부록 『에밀과 소피』

전거: Jean-Jacques Rousseau, *Emile et Sophie* in *Oeuvres complètes*, t. 4 (Paris, Editions Gallimard, 1959-1969), pp. 881-924.

에밀이 옛 가정교사에게 보내는 두 편의 서한으로 구성된 『에밀과 소피』는, 에밀이 결별과 피납 등 견디기 어려운 시련과 역경을 어린 시절에 받은 교육의 힘으로 이겨내면서 마음의 평화를 찾는 모습을 그려내고 있다. 이 작품은 루소 사후 출판되었으며 그가 출판을 원했는지 여부는 밝혀지지 않았다. 우리는 그 내용이 이 책의 주제와 관련되는 것으로 판단하여 요약의 형태로 번역 및 소개하고자 한다(본 부록은 김경근, "루소의 행복론", 『역사학연구』, 89집 (2023, 02)에 수록된 바 있음).

아이 둘을 낳고 행복하게 살던 부부는 어린 딸의 때 이른 죽음으로 무너져 내린다. 에밀은 비탄과 절망에서 헤어나지 못하던 소피의 마음을 달래줄 겸 파리로 이주한다. 거기서 에밀은 결혼 전에 경멸하던 대도시의 경박한 취향과 유혹에 점차 빠져들게 된다. 소피도 이웃 여자가 이끄는 대로 사교계에 출입하면서 에밀에게서 멀어졌으며 에밀은 스스로 소피를 더 이상 사랑하지 않는다고 생각하게 되었다. 그런데 한동안 두문불출하며 우울한 모습을 보이던 소피는 자신의 외도와 임신 사실을 고백했다. 충격에 휩싸인 에밀은 그 길로 가출하여 다시는 집에 돌아오지 않을 것이었다.

그러나 파리를 벗어나 무작정 걸어가던 에밀은, 점차 자신이 소피의 과오를 탓할 자격이 있는지 돌이켜 본다. "그녀가 너에게 충실하겠다고 한 맹세를 저버린 건 사실이다. 그렇다면 너는 그녀를 늘 열렬히 사랑했는가? 네가 사랑받고자 했다면 너는 사랑스러워지지 않으면 안 되었다"라고 생각하면서 소피에 대한 환멸과 절망에서 점차 벗어났다. 이름 모를 지방의 작은 마을에 도착한 에밀은 목수의 작업장에서 조수로 일하게 되었다.

힘든 상황에서 에밀은 자신이 받은 교육의 힘을 절감하였다. 그는 자기 자신의 주인으로서 자기가 처한 상황을 침착하게 고려하였다. 필연의 법칙에 순종한 그는 결코 자기 처지에 대해 공연한 불평을 하지 않았다. 과거는 자신과 무관한 것으로 간주하고 오로지 현재의 상태로부터 행동의 규칙을 도출했다. 그는 어릴 적부터 자신이 처한 상황에 온전히 존재할 것을 배웠고 한 가지를 하면서 다른 한 가지를 꿈꾸면 안 된다는 것을 배웠다. 그는 낮에는 신체적인 작업에 열중하고 밤에는 자기 성찰을 하면서 육체와 정신으로부터 교대로 가장 최선을 이끌어내고자 했다. 그러면서 에밀은 현존함의 행복을 떠올린다. "나는 우리가 언제든 새로 시작할 뿐이라고 혼자 말했다. 우리의 존재에는 현재 순간들의 연속만이 있을 뿐이며 그 중 첫 번째는 항상 지금 행해지고 있는 것이다." "우리는 삶의 각 순간에 죽고 또 태어나므로 죽음이 다가온들 거기에 어떤 관심을 둘 이유가 있는가? 우리에게 남은 것이 앞으로 벌어질 일 밖에 없다면 우리는 장래를 통해서만 행복하거나 불행할 것이며 과거로부터 고통 받는다면 그것은 무로부터 우리의 비참함을 끌어내는 것이다. 너에게 존재하는 것은 너의 삶, 건강, 젊음, 이성, 재능, 소양, 미덕 그리고 원한다면 너의 행복이다." 그리고 그는 깨닫는다. "우리가 마음을 질서 있게 유지할 때 우리는 운명에도 불구하고 적어도 평온할 수 있다."

그는 소피가 아들을 빼앗길까봐 불안해하지 않도록 멀리 떠나기로 했다. 어릴 적에 받은 다양한 기술 교육 덕분에 농민, 수공업자, 예술가 등 그 무엇도 될 수 있었던 에밀은 어느 곳에서도 일을 해서 생계를 꾸리는데 어려움이 없었다. 또한 마음의 평정을 유지한 탓에 괴로움을 겪지도 않았다. 그는 병이 들었을 때에도 나아야 한다는 생각으로 괴로워하거나 혹은 죽을지 모른다고 두려워하는 대신 조용히 자신을 유지했다. 또한 한 직무를 수행할 때 결코 다른 것을 염두에 두지 않는 그를 사람들도 싫어할 까닭이 없었다. 에밀은 마르세이에서 나폴리로 향하는 배에 승선했는데 선장이 해적과 공모하여 배가 나포되자 그는 해적들 앞에서 배신자 선장의 목을 날리는 용기를 보여주었다.

그러나 알제리에 노예로 팔리는 신세를 면하지 못했다. 그 때 그는 스스로 말한다. “에밀이 노예라! 그런데 이 사건이 나한테서 무엇을 앗아간단 말인가? 내가 본래의 자유에서 잃는 게 무엇인가? 나는 본래 필연성의 노예로 태어나지 않았던가? 강제 노역? 나는 자유의 몸일 때도 일하지 않았던가? 배고픔? 내가 자발적으로 굶어본 것이 어디 한 두 번인가? 구속이라고? 이미 태어나면서 인간적 정념에 예속된 나는 그것을 늘 짊어져야 하는데 둘 중 어느 것이 더 무거울까? 나는 이런 성찰로부터 내 처지의 변화가 실제적이기보다는 외형적인 것에 불과하다는 결론을 도출했다.” 자기 운명을 받아들인 에밀은 알제리 주재 프랑스 영사에게 호소하여 구출을 협상하려고도 하지 않았다.

그는 부과되는 강제노역을 묵묵히 수행하였으나 악의적인 감독관 하에서 그 부담이 거의 감당할 수 없을 정도로 커지자 탈진하여 쓰러지느니 위험을 무릅쓰고 그 상태에서 벗어나고자 결심했다. 그리하여 동료들을 설득하여 노역거부에 돌입했고 주인에게 요구사항을 침착하게 전달하여 관철시켰다. 그러한 에밀에 대한 소문이 알제리 태수에게 들어갔고 관심을 보인 그에게 에밀의 주인이 그를 선물로 바침으로써 에밀은 태수의 노예가 되면서 두 번째 편지는 끝을 맺는다.

• 미주

1 오쇼, 사랑 166
2 불평등론 124
3 몽상 96
4 고백 2:376-378
5 프롬, 자유 129-130
6 불평등론 111
7 에밀 1:144
8 오쇼, 인생 53
9 보몽 18
10 보몽 18
11 심판 283
12 프랑키에르 208
13 심판 281
14 에밀 2:266
15 에밀 2:267
16 심판 113
17 심판 136
18 심판 210
19 심판 283
20 신엘 1:312
21 신엘 1:363
22 에밀 2:52
23 프롬, 인간 318
24 심판 263
25 심판 274
26 계약론 34
27 김경근, 자유 71
28 에밀 2:148
29 오쇼, 비움 347
30 오쇼, 비움 349
31 몽상 82
32 Cooper 37
33 에밀 2:150
34 프롬, 자유 213-214
35 심판 192
36 심판 387
37 심판 192
38 오쇼, 성공 183
39 오쇼, 인생 13
40 오쇼, 인생 53
41 오쇼, 인생 29, 37, 111
42 오쇼, 장자1 227
43 오쇼, 장자2 147
44 오쇼, 성공 132-135
45 에밀 2:23
46 에밀 2:23
47 에밀 2:80
48 오쇼, 비움 354
49 오쇼, 인생 89
50 오쇼, 장자 2:138
51 신엘 1:487
52 오쇼, 인생 122
53 오쇼, 인생 126
54 오쇼, 인생 122-124
55 오쇼, 틈 279
56 오쇼, 마음 84
57 오쇼, 인생 227
58 오쇼, 마음 329
59 오쇼, 마음 64
60 에밀 2:175
61 보몽 70
62 심판 349
63 심판 175
64 불평등론 59, 63

65 불평등론 79
66 몽상 105
67 몽상 101
68 신엘 1:111-2
69 신엘 1:112
70 고백 2:569
71 몽상 105
72 로먼 344
73 신엘 2:273
74 노장사상 34
75 고백록 1:11
76 김주수, 313
77 노장사상 36-37
78 에밀 1:160
79 보몽 29
80 보몽 30
81 심판 263
82 심판 51
83 도덕편지 197
84 도덕편지 197
85 도덕편지 198
86 도덕편지 199
87 도덕편지 201
88 신엘 1:146
89 심판 172
90 심판 175
91 심판 216
92 몽상 146-147
93 몽상 140
94 심판 252
95 고백 2:17
96 고백 2:360
97 에밀 2:102
98 오쇼, 감정 176
99 심판 351
100 심판 184
101 몽상 21
102 도덕편지 199-200
103 도덕편지 200
104 심판 201
105 몽상 25
106 고백 1:268
107 고백 2:148
108 고백 2:170-171
109 리오 325
110 심판 410
111 리오 326
112 리오 105, 382
113 고백 1:22
114 몽상 122
115 에밀 1:143
116 에밀 1:230
117 에밀 2:500
118 오쇼, 인생 269-270
119 몽상 81
120 심판 411
121 몽상 122
122 고백 1:208
123 에밀 2:43
124 부록 참조
125 에밀과 소피 OC 4:905
126 보몽단편 141
127 오쇼, 감정 94
128 에밀 1:135
129 몽상 28-29
130 오쇼, 인생 27
131 오쇼, 인생 27
132 오쇼, 마음 78
133 고백 1:229
134 오쇼, 마음 96
135 심판 195
136 고백 2:506
137 프랑키에르 214-215
138 프롬, 자유 264
139 고백 2:10
140 에밀 2:453
141 고백 2:274
142 고백 2:222, 각주 17
143 심판 351
144 심판 32
145 심판 250
146 심판 182

147 심판 32
148 불평등론 146-147
149 오쇼, 행복 86-87
150 심판 200
151 에밀 2:36
152 고백 2:232
153 프롬, 인간 119, 148
154 오쇼, 인생 182-182
155 오쇼, 인생 235-239
156 오쇼 인생 235
157 오쇼, 인생 328
158 오쇼, 네 멋대로, 123
159 에밀 2:358
160 신엘 1:304
161 신엘 1:176
162 프롬, 인간 167
163 신엘 1:188
164 고백 1:346
165 프롬, 인간 150
166 신엘 1:273
167 에밀 2:420
168 에밀 2:442
169 에밀 2:431
170 심판 51-52
171 신엘 1:52
172 신엘 1:65
173 고백 1:212
174 신엘 1:65
175 신엘 1:121
176 신엘 1:122
177 신엘 1:399
178 신엘 2:380-381
179 신엘 1:301
180 고백 2:268-269
181 고백 2:271
182 고백 1:278-279
183 고백 1:307
184 에밀 2:273
185 에밀 2:375
186 에밀 2:375
187 에밀 2:376
188 에밀 2:377
189 신엘 1:261
190 에밀 2:386
191 에밀 2:387-388
192 에밀 2:388-389
193 에밀 2:389
194 에밀 2:390
195 에밀 2:391
196 에밀 2:391
197 에밀 2:362-363
198 에밀 2:363
199 에밀 2:364
200 에밀 2:366
201 에밀 2:367
202 에밀 2:370
203 에밀 2:368
204 에밀 2:507
205 에밀 2:509
206 에밀 2:509
207 에밀 2:509
208 에밀 2:513
209 에밀 2:514
210 에밀 2:514
211 신엘 1:488
212 신엘 1:490
213 신엘 1:491
214 신엘 1:489
215 신엘 1:489-490
216 신엘 1:466
217 신엘 1:469
218 신엘 1:473
219 신엘 2:145
220 에밀 2:387
221 리오 489
222 신엘 2:181
223 신엘 2:211-212
224 신엘 2:252
225 에밀 1:75
226 맺음말 참조
227 신엘 2:184
228 심판 330

229 에밀 1:90
230 심판 331
231 심판 331
232 에밀 1:40
233 에밀 1:90-91
234 에밀 1:92
235 에밀 1:93
236 에밀 1:92
237 고백 2:145-150
238 고백 2:187-189
239 고백 1:353
240 고백 1:362
241 고백 1:363
242 에밀 1:93
243 고백 2:135
244 에밀 1:97
245 에밀 1:99
246 심판 1:193
247 심판 193
248 심판 194
249 에밀 2:394
250 에밀 2:395
251 고백 1:97
252 고백 1:269
253 고백 1:253
254 고백 1:253-254
255 고백 2:174
256 Höffding 60
257 고백 1:65-67
258 에밀 2:274
259 고백 1:120-121
260 고백 1:65
261 에밀 2:293
262 신엘 2:121-122
263 고백 1:67
264 에밀 2:286
265 고백 1:65-66
266 에밀 2:280
267 도덕편지 163
268 에밀 2:286
269 신엘 2:201
270 로먼 211
271 로먼 223
272 로먼 221
273 신엘 2:100
274 신엘 2:101-102
275 신엘 2:182-183
276 신엘 2:184-185
277 키토 51-55
278 에밀 2:63
279 고백 2:210-211
280 프롬, 인간 54
281 리오 163
282 에밀 1:346
283 신엘 2:106
284 심판 54
285 심판 222-223
286 심판 229-230
287 심판 231
288 심판 231
289 심판 232
290 고백 2:211
291 고백 2:111-113
292 심판 242
293 심판 244
294 고백 2:146
295 고백 2:375
296 고백 2:376
297 로먼 143
298 프롬, 자유 293
299 에밀 1:348-350
300 에밀 1:357
301 에밀 2:473
302 에밀 1:81
303 리오 286
304 에밀 1:252
305 심판 349
306 에밀 1:106
307 에밀 1:113
308 에밀 1:113
309 에밀 1:147
310 에밀 1:147

311 에밀 1:116
312 에밀 1:109-112
313 에밀 1:157
314 에밀 1:158
315 에밀 1:153
316 에밀 1:156
317 에밀 1:114
318 에밀 1:131
319 에밀 1:132
320 에밀 1:134
321 Höffding 94
322 에밀 1:163
323 에밀 1:145
324 신엘 2:225
325 신엘 2:228
326 에밀 1:158
327 에밀 1:136
328 에밀 1:159
329 에밀 1:174
330 에밀 1:176
331 에밀 1:176
332 에밀 1:179
333 에밀 1:162
334 에밀 1:162
335 에밀 1:188-189
336 신엘 2:223
337 신엘 2:223
338 신엘 2:224
339 에밀 1:317
340 에밀 1:179
341 에밀 1:181
342 보몽 41
343 오쇼, 성공 147-148
344 보몽 41
345 에밀 1:68
346 Höffding 147-148
347 Höffding 95
348 에밀 1:221
349 에밀 1:222
350 에밀 1:207
351 에밀 1:282
352 보몽 42
353 보몽 44
354 에밀 1:187
355 에밀 1:302
356 에밀 1:210
357 에밀 1:370
358 에밀 1:282-283
359 에밀 1:284
360 에밀 2:100
361 에밀 1:161
362 에밀 1:293
363 에밀 1:315, 312
364 에밀 1:369
365 에밀 1:326
366 에밀 1:189, 296
367 에밀 1:190-191
368 에밀 1:191
369 에밀 1:192
370 에밀 1:196
371 에밀 2:92
372 에밀 1:311
373 에밀 1:296
374 에밀 1:303
375 에밀 1:303
376 에밀 1:206-207
377 에밀 1:315
378 에밀 1:325
379 에밀 2:35
380 에밀 2:32
381 에밀 2:221
382 에밀 2:234
383 에밀 2:240
384 에밀 2:54
385 에밀 2:222-225
386 에밀 2:217-218
387 에밀 2:219
388 에밀 2:93
389 에밀 2:93
390 에밀 2:42
391 에밀 2:278-279
392 에밀 2:254

393 에밀 2:240-241
394 에밀 2:257
395 에밀 2:264
396 에밀 2:263
397 에밀 2:256
398 에밀 2:261
399 에밀 2:257
400 에밀 2:98
401 에밀 2:96
402 에밀 2:310
403 에밀 2:356
404 에밀 2:305
405 에밀 2:304-305
406 에밀 2:320
407 에밀 2:350
408 에밀 2:360
409 에밀 2:298
410 에밀 2:299
411 에밀 2:301
412 에밀 2:323
413 에밀 2:347
414 에밀 2:349
415 에밀 2:350
416 에밀 2:361
417 에밀 2:356
418 에밀 2:357
419 에밀 2:309
420 에밀 2:324
421 에밀 2:324
422 리오 626
423 고백 2:132
424 고백 1:190
425 고백 1:365
426 고백 1:370
427 신엘 1:86
428 에밀 2:127-128
429 신엘 1:87
430 신엘 1:86
431 신엘 1:85
432 신엘 1:88
433 신엘 1:348
434 에밀 1:51
435 에밀 1:51
436 심판 97-98
437 보몽 71
438 심판 218
439 심판 219
440 보몽단편 137-138
441 보몽단편 138
442 심판 348
443 에밀 1:51
444 보몽 67
445 고백 2:380
446 프랑키에르 219
447 에밀 2:156
448 심판 393
449 보몽 64
450 에밀 2:210
451 신엘 2:402
452 보몽 74
453 신엘 1:471
454 보몽 84-85
455 보몽 20, 23, 75
456 보몽 75
457 신엘 2:258
458 에밀 2:186
459 에밀 2:187
460 보몽 62
461 보몽 78
462 보몽 80
463 보몽 73
464 신엘 2:405
465 신엘 2:403
466 신엘 2:400-401
467 고백 1:356
468 보몽단편 149
469 에밀 2:206
470 에밀 2:206
471 고백 2:218, 각주 10
472 신엘 1:470
473 에밀 2:139, 141
474 에밀 2:141

475 에밀 2:136
476 고백 2:569
477 에밀 2:143
478 에밀 2:178
479 보몽 44-45
480 에밀 2:107
481 에밀 2:110

루소와 좋은 삶

지은이 김경근
펴낸이 양오봉
펴낸곳 전북대학교출판문화원

초판 1쇄 인쇄 2024. 5. 20.
초판 1쇄 발행 2024. 5. 25.

전북대학교출판문화원 전북특별자치도 전주시 완산구 어진길 32 (풍남동2가)
전화 (063) 219-5319~5322
FAX (063) 219-5323
출판등록 2012년 8월 20일 제465-2012-000021호

값 15,000원

ISBN 979-11-6372-226-7 03860